所谓情商高就是会说话

伝え方が9割 2

[日]佐佐木圭一 著
程亮 译

北京联合出版公司
Beijing United Publishing Co.,Ltd.

图书在版编目（CIP）数据

所谓情商高，就是会说话 /(日) 佐佐木圭一著；
程亮译. -- 北京：北京联合出版公司, 2016.9（2017.6重印）
ISBN 978-7-5502-8609-2

Ⅰ.①所… Ⅱ.①佐… ②程… Ⅲ.①语言艺术－通俗读物 Ⅳ.①H019-49
中国版本图书馆CIP数据核字（2016）第214123号

著作权合同登记号：01-2016-3893

所谓情商高，就是会说话
作　　者：（日）佐佐木圭一
总 发 行：北京时代华语图书股份有限公司
责任编辑：孙志文
封面设计：红杉林文化
版式设计：姜　楠
责任校对：蔺亚丁

北京联合出版公司出版
（北京市西城区德外大街83号楼9层 100088）
三河市宏图印务有限公司　　新华书店经销
字数140千字　　880毫米×1230毫米　1/32　　6.5印张
2016年9月第1版　　2017年6月第17次印刷
ISBN：978-7-5502-8609-2
定价：32.00元

前 言

说话时的措辞，真的能改变人生

举个实际生活中的例子。

比如打扫卫生。想让家人帮忙时，很多人会这样说：

“去把垃圾扔了。”

可结果呢？就得看对方当时的心情了。

得到的回答很可能是“我现在很累”，或是“我正在看电视呢”。

在这种时候，不妨试试下面的说法：

“扔垃圾和打扫浴室，你选哪个？”

这样一说，对方就会从中选择一种，而一般人自然会选择更轻松的扔垃圾。

再举个例子。

邀请意中人约会时，很多人会这样说：

“你这周六有空吗？”

可结果呢？很难预料。

若是两情相悦，那自然没什么问题，否则能不能得到肯定的回答可就难说了。其实只要换种说法，就能跨过这道障碍，成功得到“OK”的答复。

你觉得应该怎么说？

“那家很有名的意大利餐厅，现在只能订到这周五或周六的位子，你哪天有空？”

这样一说，对方就会从中选择一天，例如“嗯，周六有空”。不管选哪一天，只要对方做出了选择，约会就成功了。

人的行为意愿，会受到措辞的影响。例如前面这个例子，同样的邀请，第二种措辞就更容易帮助这个人成功约会，进而交往，最后迈入婚姻的殿堂，抓住了难得的幸福！

前面所举的两个例子中的主人公之所以能成功，并不是因为他们本身多么能说会道。事实上，措辞是有技巧的，他们只是懂得其中的技巧而已。

当被问到“A 和 B 选哪个”的时候，一般人都会从中选择一种。关键在于，事先准备好的两个选项 A 和 B，应该是选哪个都不影响结果的。换句话说，无论对方选哪一个，自己都能达到目的。

措辞就像做菜，是有谱可循的。

只要掌握了菜谱，任何人都可能做出美味佳肴。

我本来是一个笨嘴拙舌的人，但自从明白“措辞是有谱可循的”这个道理以后，我的人生就有了天翻地覆的变化。很多人以为，高明的措辞来自天生的语感，可实际上，措辞就像做菜一样，是可以通过学习而掌握的。

为了帮助那些苦于不善措辞的人明白这个道理，我把自己这十八年来找到的“措辞菜谱”写进了第一本书——《别让成功卡在说话上》。

爱读书的、有上进心的人，身上必然存在闪光点，可如果这些闪光点不能展现出来，将是多么可惜的一件事啊。我本人就曾因不善措辞而苦恼万分，所以不想把“措辞的技巧”敝帚自珍，而是希望向世人公开。

写这本续作的理由

在前作《别让成功卡在说话上》一书里，我公开了任何人都能实践的“措辞菜谱”。后来，我陆续参加了二百多场演讲和媒体活动，同许多商务人士、家庭主妇、学生等交流过。这些人说的最多的一句话是：

“我按书里的方法邀请对方约会，果然成功了！”

此外还有：

“不爱运动的爸爸开始跑步了！”

“鞋的销售额有了显著提升！”

“以前一直不肯合作的厂家，终于决定跟我签订新商品的合同了！”

“我一直拿反抗期的两岁女儿没招，直到用了书里的办法，非常有效！”

……

在交谈过程中，我听到了许多出人意料的趣事，还有一些连我也感到敬佩的巧妙措辞。同时，也有不少人向我提出具体的问题，询问怎样做才能彻底掌握措辞技巧。例如：

“这种场合该如何措辞？”

“关键时刻总是忘，怎么办？”

在不断获知大量实践事例的过程中，我忽然意识到：“应该让广大读者了解这些事例及心得体会中的要点！”“应该跟广大读者分享，以表达我的谢意！”这就是我写作本书的契机。

本书的写作目的是——

帮助读者完美地掌握并运用措辞的技巧。

书中不仅列出了大量一举变逆境为顺境的实践故事，使读者可以一边阅读，一边假想体验，而且记录了很多要点，以便读者能在实际生活中轻松运用。

本书的结构经过精心设计，即使没读过前作，也毫不妨碍理解。而且读过本书再去阅读前作，更能进一步加深理解。

必须掌握的“7个突破口”和“8个技巧”

拜托别人做事时，为了得到“Yes”的回答，可以运用一些具体的技巧，也就是把“No”变成“Yes”的技巧。当然，这些技巧不可能百分之百管用，但确实能大大提高得到

"Yes"回答的可能性。除此之外，还有"7个突破口"。

◎把"No"变成"Yes"的7个突破口

①"投其所好"

②"儆其所恶"

③"选择的自由"

④"被认可欲"

⑤"非你不可"

⑥"团队化"

⑦"感谢"

另外还有创造"警句"的技巧，如打动人心的演讲、电影里的著名台词，等等。在《别让成功卡在说话上》一书里，已经介绍过任何人都能现学现用的5个技巧。

◎创造"警句"的5个技巧

①"惊奇法"

②"反差法"

③"赤裸裸法"

④"重复法"

⑤"高潮法"

本书在上述技巧的基础上，还会首次公开3个新技巧！！

⑥“数字法”

⑦“合体法”

⑧“顶点法”

写作本书的目的只有一个，就是让你掌握“措辞菜谱”，并且能够现学现用。

①记忆深刻！“实践故事”

我从别处听过不少令人印象深刻的“措辞趣事”，很多连我也感到格外敬佩。这些故事光是听起来，就叫人觉得十分痛快，而且颇具启发意义，所以我很喜欢。于是，我便收集了生活中的大量真实故事，这些故事的主人公无一不是最初处于无计可施的困境之中，最后却通过改变措辞，一举扭转了不利局面。

因为是故事的形式，所以很容易就能让人记住。如同我们学习历史知识，单纯靠死记硬背很难记住，但配合历史故事一起记忆，就会变得非常容易。

②阅读即练习！“产出型结构”

想掌握措辞技巧，就得先懂得方法，然后实践。好比做菜，得先知道怎样做好吃，然后多次练习，等彻底掌握方法，就算不看菜谱也会做了。

本书的结构经过精心设计，读者只要自然而然地思考，

就能有所产出，收获成功。也就是说，仅仅通过阅读，就能得到练习。

③能体验实际演讲！“实况转播”

《别让成功卡在说话上》的演讲，因“有助于实际掌握”而受到了大家的好评。我决定不藏私，在本书里公开演讲内容，让大家可以通过阅读，对实际的演讲和研讨进行假想体验。

通过“实况转播 1”，能体验把“No”变成“Yes”的技巧；通过“实况转播 2”，能体验创造“警句”的技巧。

不用像我一样走弯路，以最短的时间掌握措辞技巧

身为广告文案撰稿人，我每天都要跟语言打交道。我本来并不擅长表达，却因突如其来的职位调动，成了广告文案撰稿人，每天得写 400~500 例文案，而我始终都完不成。

其他人对我说：“没人对你抱有期待。”在过大的压力下，我的体重开始猛增。有段时间，我的表现实在差劲，公司甚至不给我安排工作。明明年轻力壮，却没有活儿干。如果把我当时的凄惨遭遇写成歌曲，旋律一定无比伤感，用来作三流电视剧的主题曲正合适。为了打发过剩的时间，我一边看电影、阅读小说和名言集，一边把喜欢的句子抄记下来。

有一天，我正无所事事地看着本子上的字句，突然发现了“语言的法则”。按照这个所谓的“法则”去写文案，竟然得到了“很有趣”的好评。我的人生并不是逐渐改变的，而是在掌握了“语言的法则”之后，一下子就发生了天翻地覆的变化。

现今，我以广告文案撰稿人的身份，已经度过了十八年的人生。如果你要从头体验这段经历，势必得付出大量的时间和精力，还未见得会获得很高的效率。从这个意义上讲，**本书不只是一本“菜谱”，还是指南，它能让你在最短的时间内，掌握并实践我历经无数次尝试和失败才终于掌握的技巧。**

本书就像一本烹饪教材，不仅归纳了“措辞菜谱”，还将做菜的过程全部呈现，毫不遮掩。在阅读的一瞬间，你就能迅速并彻底掌握，就算做不出“专业主厨的味道”，也能做出“家庭大厨的味道”。

通过公开“掌握措辞的方法”，我衷心期待所有阅读本书的人，都能开拓自己的人生，向着自己的梦想迈进。

下面就来看看具体都有哪些措辞的方法，以便于大家尽快掌握。

目 录

第一章　完美掌握！把“No”变成“Yes”的技巧

第二章　完美掌握！创造“警句”的技巧

第一章

完美掌握！把“No”变成“Yes”的技巧

1. 无所不能的人都懂得如何措辞

“对不起，我突然有工作要做。今天的约会取消吧。”

约会当天，对方打来这样的电话。

这种情况很常见，几乎都是出于迫不得已。可是作为被通知的一方，除了失望，可能还会产生这样的感觉：

“对方并不重视我……”

如此一来，原本高兴激动的心情，就会被阴云笼罩。究竟是哪里有错呢？是突然加派工作的可恶的课长有错吗？也许吧。但更关键的问题在于，这样的“措辞”叫人丝毫感受不到被重视。

像下面这样说呢？

“对不起，我突然有工作要做，但我更想见你了。”

只是换了一种措辞，对方的心情立刻就会变得不一样。原因有二。

第一个原因是：通过“更想见你了”，表达了爱意。

第二个原因是：通过这样的表达，使本来很简单的“取

消约会”，变成了“加深二人感情的障碍”。

措辞能改变人生。

与意中人交谈、工作中的简报、家人的日常生活、就业面试……越是人生中的重要时刻，措辞对结果的影响越大。同样的内容，用高明的措辞说出来，就很可能使对方的回答从“No”变成“Yes”。

想必大家已经明白措辞的重要性，但还不知道怎样才能掌握措辞方法。很多人以为，措辞是“与生俱来的天赋”，是有“天生的语感”，根本没法轻易掌握。其实不然。

措辞是有谱可循的。

也就是说，“知之则能”。大家以前遣词用句，可能一直依赖自己的语感，但现在，只要知道了“措辞菜谱”，任何人都能完成高明的措辞。越是有能力的人，越能在无意识中使用“措辞菜谱”。

接下来，我就把一直被视为依赖“语感”的措辞，以“菜谱”的形式介绍给大家。

2. 把得到“Yes”回答的可能性提高 2~3 成

老实说，阅读本书，并不能使以前所有“No”的回答都变成“Yes”，**但它确实能提高可能性。根据我的经验，如果原来的可能性为 0，那么本书应该能帮助你提高到 2~3 成；如果原来的可能性为 5 成，那么本书就能帮助提高到 7~8 成。**

结果是叠加的。掌握了“措辞菜谱”以后，只要持续使用，就能达到前所未有的境界。

一个人平均每天会求人 22 次。当然，有的请求得到的回答是“Yes”，有的则是“No”。打个比方，假设使用高明的措辞，每天至少能把一次“No”的回答变成“Yes”。那么仅以一天来看，或许并没有明显的变化，但这样的情况如果持续一年，就能改变 365 次，三年就是 1000 次以上。**如果能把以前得到的 1000 次“No”的回答变成“Yes”，难道人生还不会改变吗？**

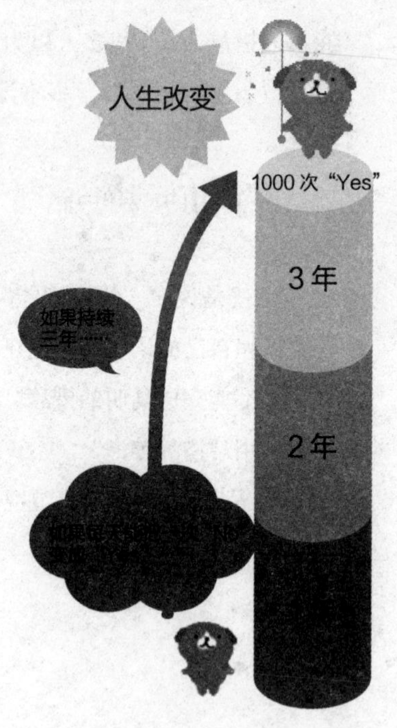

即使是同样的内容，只要使用高明的措辞，

也能把得到“Yes”回答的可能性提高2~3成。

3. 接受大量实践故事的洗礼

本书的结构经过精心设计，读者仅靠阅读，就能获得模拟体验。第一章和第二章的实践故事是本书的关键，其作用是让读者一边阅读，一边掌握“措辞菜谱”。

每个人在一生中，应该都有过这样的经历：通过巧妙的措辞实现了某种突破。这些经历不断累积，当然也能使我们牢牢掌握措辞的技巧，但要想在人生中积累如此多的经验，恐怕得花数十年的时间才能办到。

接下来的章节收集了大量“成功措辞的精选实践故事”，这些实例能使读者在阅读时如同亲身经历。**阅读时尤其要注意措辞在使用“菜谱”前后的区别。**

最终目标是彻底掌握“菜谱”，达到能在无意识中使用的状态。好比做菜，刚开始记菜谱时只能边看边做，但做过几次以后，记忆就会沉淀在手上，这时就算边打电话边做菜也没问题。

关键在于“次数”。也就是说，只有增加与优质措辞接触的次数，才能真正掌握措辞方法。

本书准备了足够多的优质实践故事，能让读者增加经验，达到随时使用的水平。

4. 复习！ 3 个步骤

把“No”的回答变成“Yes”，有 3 个步骤。

步骤 1：“不直接说出自己的想法”

一般来说，人都容易不假思索地把脑中的想法直接说出来。然而，这样不仅常常事与愿违，而且很容易招致反感。**请不要直接说出自己的想法。这就是步骤 1。**

当然，我们都是凡人，不可能保证所有事都不直接说出来，但至少请记住，不要直接说出“这是很重要的请求！”之类的话。

步骤 1

不直接说出自己的想法

例如：有人从老家寄来很多柑橘，家人甚至都吃腻了，而你不想让剩下的柑橘白白烂掉。

在这种时候，请不要直接说：

“大家继续吃啊！”

步骤 2：“揣摩对方的心理”

请揣摩对方的心理，并根据其平日表现，猜测对方会对你的请求作何想法。

直接说出请求，对方会作何反应？如果对方回答“Yes”的可能性很大，当然可以直接说……

如果对方回答“No”的可能性很大，就不能直接说了。请暂时忘记自己的请求，揣测对方的喜恶、性格等因素。把“No”变成“Yes”的答案就在其中。

请试着揣测吃腻了柑橘的家人的心理。

“不能光吃柑橘。”

这应该就是家人的想法。

此时，请再次忘记自己的请求，想想家人的喜恶。例如：

“不想感冒。”

没人愿意生病。

到了容易感冒的季节，身边就会出现感冒患者，家人都很在意这一点。

步骤 3：“考虑符合对方利益的措辞”

提出的请求，要让“对方的利益”和“自己的利益”趋于一致。想达到这一点，就要基于对方的心理来考虑措辞。

关键在于，要创造符合对方利益的上下文关系。即使措辞有所改变，只要最终达成目的就行。

步骤 3

考虑符合对方利益的措辞

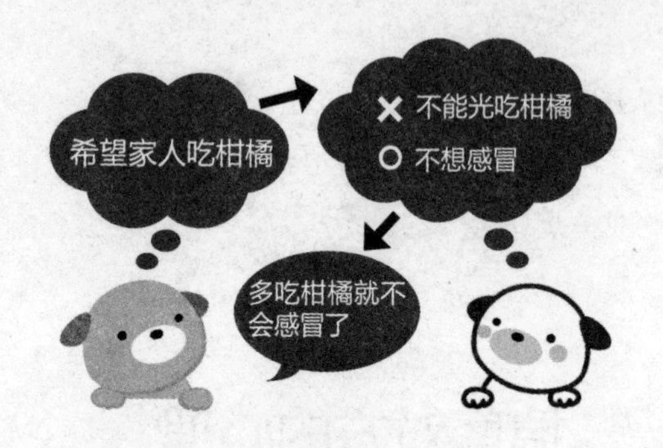

既然家人不想感冒，就可以对他们说：

“多吃柑橘就不会感冒了。”

这样的措辞符合对方的利益，家人就会变得乐意吃柑橘，而你的目的也就达到了。

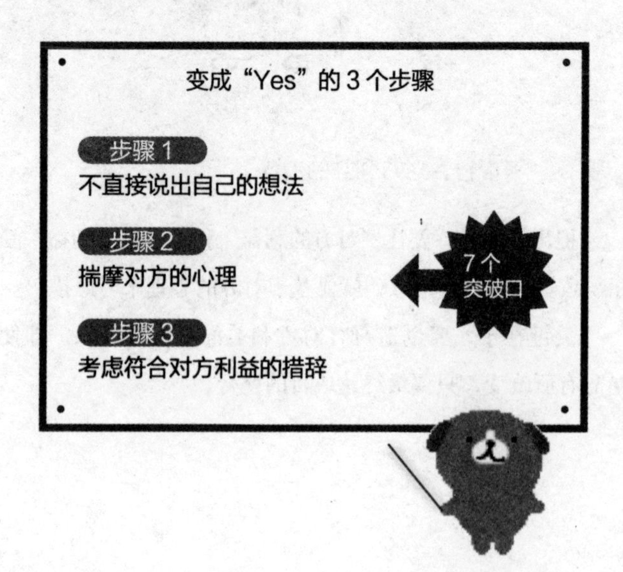

5. 阅读实践故事的关键

掌握措辞的技巧，需要一个循序渐进的过程。因此，接下来的章节请不要略过。

每个实践故事均配有"措辞示意图"，通过看图，就能按照"措辞菜谱"的步骤，把以前一直凭感觉理解的模糊的东西，以具体的形式牢牢记在心里。

不用担心，这些故事既不乏笑点，又让人充满感动，所以像平时一样阅读即可。

下面就来享受这些有趣的实践故事吧。

突破口 1：投其所好

既是最基本的，也是最管用的

"抱歉，这种衬衫只剩这一件了。"

听到店员这样说，你会怎么想？

可能会一下子产生“是别人挑剩下的吧”“恐怕有很多人试穿过”的印象。如果店员换一种说法，例如：

“这种衬衫卖得特别快，这是最后一件了。”

你又会怎么想？大概会产生“要是流行，我也想买”“最后一件了，不买就没了”的印象。**这样的措辞就是成功利用了“投其所好”的突破口。**如此一来，拿着衬衫去收银台结账的人也会变多。传达同样的内容，如果使用不同的措辞，对方的接受方式和行为就会发生变化。

店员的目的是“希望顾客消费”，但不能直接说出来，而是要揣摩顾客的心理，采用“投其所好”的措辞。

以“投其所好”的形式提出请求，对方也会乐于接受。只要意识到这个突破口，就能让对方高兴地听取自己的请求。

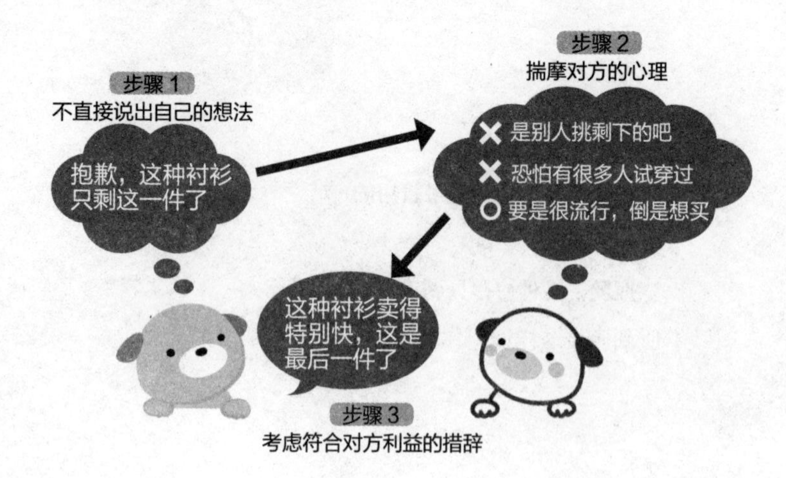

在“7个突破口”中，我也会从“投其所好”这个突破口最先开始考虑。只要养成考虑“投其所好”的习惯，就能让对方觉得你连性格都变好了。不，正因为你会主动考虑“投其所好”，所以性格是真的变好了。

下面是几则利用“投其所好”的实践故事。

STORY•“投其所好”实践故事

飞机供餐的鱼剩下很多时，怎样措辞才能顺利调整配量

电影《快乐飞行》里曾出现令人不禁点头赞许的巧妙措辞。在该影片中，绫濑遥饰演某航空公司的新人空姐。在分配供餐的一幕，由于乘客大多优先选择牛肉，所以导致鱼大量剩余。

就在新人空姐面临重大危机的关头，经验丰富的前辈说道：“像平时一样平均分配！看好了。”然后展现了高超的措辞技巧：

“机内供应以优质香草、富含矿物质的天然岩盐和粗制黑胡椒嫩煎而成的白身鱼，以及普通牛肉。”

由于是电影，其中自然存在表演成分，但前辈空姐这

样一说，乘客确实会觉得鱼更好吃。后来，当前辈空姐询问乘客的选择时，绝大多数乘客都主动选择了鱼。这里就使用了“投其所好”的“措辞菜谱”。

“对不起，只剩鱼了。”

如果空姐这样说，乘客就会觉得自己简直成了废品回收站，哪里还有吃东西的心情，而像前辈那样说，乘客就会心甘情愿地主动选择鱼。这就是措辞的力量。

“对不起，只剩鱼了。”

揣摩对方的心理

“机内供应以优质香草、富含矿物质的天然岩盐和粗制黑胡椒嫩煎而成的白身鱼，以及普通牛肉。”

STORY •“投其所好”实践故事

改名后销量提升十倍的蔬菜命名法

有种白薯名叫“山田芋（化名）”。提供食材送货上门服务的电商“Oisix”的菅美沙季一直很苦恼，不知道怎样才能提升这种白薯的销量。尽管这种白薯格外好吃，但白薯终究只是白薯，自身再有实力，还是卖不出太高的销量。

“山田芋”

这是该白薯的品种名。

最后，菅女士同团队众人商议，决定不用品种名，而是起个昵称。

“生焦糖芋”

这个昵称恰到好处地体现了其令人陶醉的味道与温和润滑的口感。这正是购物主妇的“所好”，用主妇特别喜欢的“生焦糖”一词重新命名，成功地刺激了顾客的购买欲。通过改名，该白薯的销量竟然提升了十倍之多，连续两年夺得邮购商品的销量最高奖。

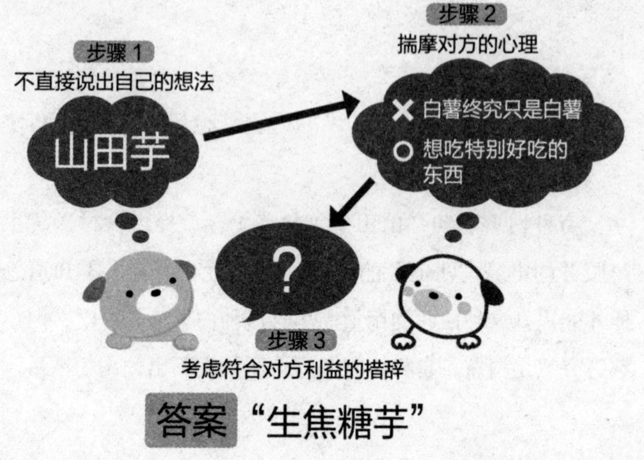

答案“生焦糖芋”

STORY•“投其所好”实践故事

让习惯压低价格的厂商收购高价商品的措辞

某公司做的是向汽车厂商提供导航系统的生意，也就是所谓的外包公司，但厂商的条件非常苛刻，去年把价格压低了3%，今年更要求降价5%。尽管降价会导致该公司的纯利润减少，但社长不得不接受，所以很是犯愁。最后，社长觉得必须做些改变才行，就向厂商提出了一个关于高价商品的方案：

“让我们制作高价的高规格型号吧。”

厂商对此的回答是“No”。社长大伤脑筋。今年春天，当他正想再次提案时，突然想起并使用了“措辞菜谱”。这次他并没有直接说出自己的请求，而是在仔细研究了厂商的经营状况后，使用了下面的措辞：

“让我们制作贵公司的旗舰型号吧。”

说出口的一瞬间，社长感到无比紧张。

厂商的部长则一拍大腿：

“好，早就在等你提出这个方案呢！！”

于是双方很快签了合同。原来，厂商虽然有好几种导航系统，但缺少代表性的旗舰型号。正因为社长充分揣摩了对方的心理，才找到了这个“投其所好”的突破口。

至于商品本身，其实与此前的提案一样，就是高价的高规格型号。

在充分揣摩对方心理的基础上所做出的提案，不仅事关高价商品，更关系到企业经营，所以能打动对方。

“让我们制作高价的高规格型号吧。”

揣摩对方的心理

“让我们制作贵公司的旗舰型号吧。”

利用“投其所好”，既能获得对方的好感，又能实现自己的期望。

突破口 2：儆其所恶

对难以说服的人有效。效力强劲的最终手段

大家应该都见过这样的警示语：

“请勿触碰展品。”

这是展示方不希望有人触摸展品。

可就算这样写，还是不免有人触碰。有的人越被命令，就越想反抗。想必每个人都有过这样的经历：明明被警告“别那样做”，却偏会采取相反的行动。

如果像下面这样写呢？

“涂有药品，请勿触碰。”

看到这句话，就没人想碰了，因为一旦摸到，药品就会沾在手上，可能对身体有害，所以还是不摸为好。

“因为有这样的坏处，所以不要这样做。”

传达这样的信息，就是“儆其所恶”。明确警示对方：你觉得不错的东西其实存在看不见的坏处。这样一来，对方

就会反馈：“我不想那样做了。”换句话说，就是要告诉对方：不那样做有利无害。

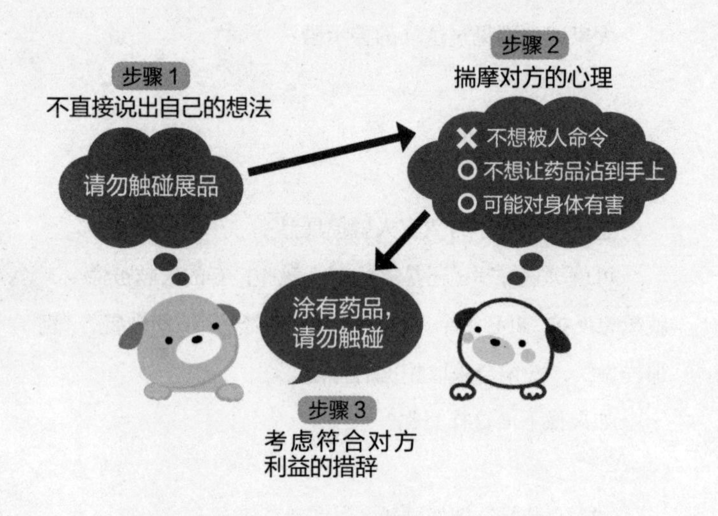

这个突破口威力强大，能说动难以说服的人，但有时会显得带有强迫性。请注意选择使用场合，并避免连续使用。

接下来请通过下面的故事，体验“儆其所恶”。

—STORY•“儆其所恶”实践故事

让不合上马桶盖的丈夫乖乖改正的措辞

结婚已有二十五年的安藤由衣（化名）一直在独自生闷气，因为丈夫上完厕所总是不合上马桶盖。如果马桶盖开着，由衣担心家里养的猫会去马桶里喝水，所以她每次都得提醒：

“合上马桶盖。”

丈夫当时会不情愿地合上马桶盖，但第二天就会旧态复萌。由衣彻底搞不懂丈夫的神经了。

由衣也曾想过放手不管，可她只要去卫生间看见敞开的马桶，就忍不住生气。有一次，她尝试改变了措辞，结果丈夫听完以后，每次上完厕所都一定会合上马桶盖。由衣是怎么说的呢？

“听说不合上马桶盖会失去财运哦。”

风水上也确实有这种说法。丈夫刚听到的时候，表情毫无变化，由衣还以为光靠改变措辞没用呢，可是后来，她在丈夫上完厕

所后去卫生间，发现马桶盖已经合上了，其后几天也是如此。

尽管丈夫并不迷信风水，但他“避免失去财运”的意识还是很强的。自从由衣使用那样的措辞以来，丈夫每次上完厕所，马桶盖都会回到原来的位置，由衣的心情也变得开朗起来。

“合上马桶盖。”

揣摩对方的心理

“听说不合上马桶盖会失去财运哦。”

STORY • “做其所恶”实践故事

让一直不管淘气孩子的妈妈帮摇身一变的措辞

傍晚的家庭餐厅。当天，餐厅里有一帮带着孩子的妈妈，还有很多工薪族。店员齐藤典子（化名）很伤脑筋，因为孩子们不光吵闹，甚至还离开座位，在地上跑来跑去。齐藤来到孩子们的妈妈桌前，向正在愉快交谈的妈妈帮提出请求：

“为了避免打扰其他客人，可否请你们让孩子坐在座位上？”

这句话说完，妈妈帮只是向齐藤瞥了一眼，然后就若无其事地继续谈论学校老师的闲话了。齐藤希望她们管管孩子，而不是闲聊。

店长注意到店里的吵闹，从后厨走了出来。听齐藤讲完情况，店长表示：

“既然如此，只要这样说就行了。”

然后，店长来到妈妈帮面前。齐藤很不安，因为自己刚才提出请求，却被对方无视了。只听店长说道：

“刚做好的菜很烫，如果端出来的时候被撞撒了，会给孩子造成很严重的烫伤。可否请你们让孩子回到座位上？”

妈妈帮先是面面相觑，随后不是喊孩子回到座位上，就是自己起身去接孩子。这就是“儆其所恶”的措辞突破口。

妈妈帮就算不在乎孩子会打扰到其他客人，也不希望孩子被烫伤。齐藤对店长的措辞及其效果感到十分震惊，而店长则微笑着返回了厨房。

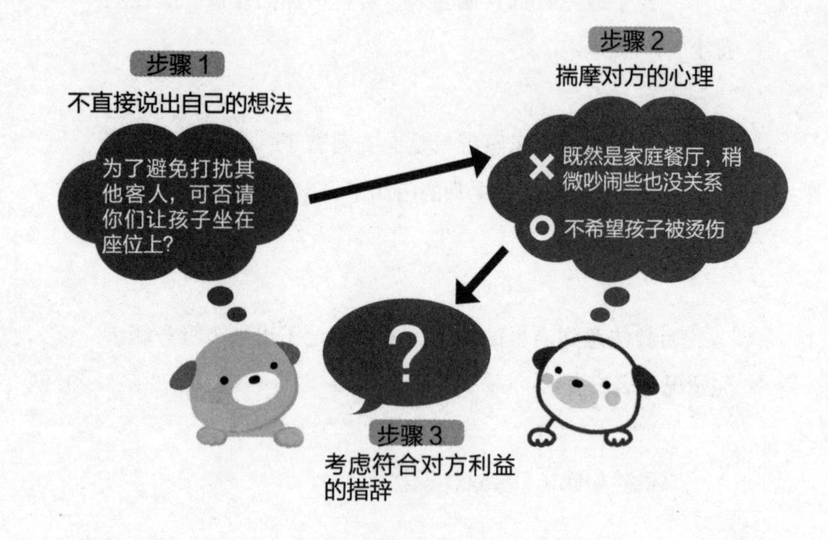

答案 “刚做好的菜很烫，如果端出来的时候被撞撒了，会给孩子造成很严重的烫伤。可否请你们让孩子回到座位上？”

图中的答案不用记得一字不差，只要能想出个大概就 OK！

STORY •“做其所恶”实践故事

使偷书行为剧减的警示语

大阪某书店的店长山田高次（化名）最近很烦恼。

尽管店员非常用心，但偷书行为仍屡禁不绝。店里准备了公告，上面写着大字：

“偷窃是犯罪！”

可是毫无效果。

大伤脑筋的山田偶然阅读了《别让成功卡在说话上》，就直接使用上面介绍的措辞制成了新公告。

新公告上是这样写的：

“多亏大家的协助，我们捉到了盗窃犯。谢谢！”

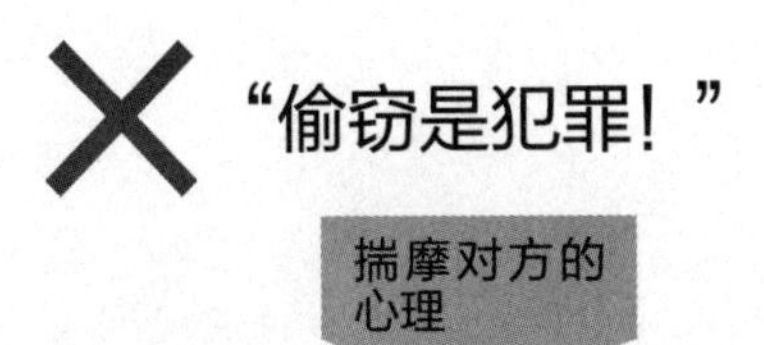

“多亏大家的协助，我们捉到了盗窃犯。谢谢。”

结果，偷书行为急剧减少。从盗窃犯的角度来说，最讨厌的就是“盗窃犯被捕”这一事实，所以他们不希望自己被捕的情绪会变得格外强烈。

当然，并不是百分之百没人偷书了，而且过段时间人们习惯了公告之后，可能还需要更换新的措辞，但通过措辞使偷书行为剧减，的确是无可争议的事实。

利用“儆其所恶”，能形成强大的强制力。

这是措辞的最终手段。

突破口 3：选择的自由

关键在于，要给出两个合适的选项，无论对方选择哪个，自己都能达到目的

“要不要来份甜点？”

在餐厅刚吃完饭的客人，听到侍者这样问，如果是喜欢甜食的人，可能就会叫份甜点，但不是特别喜欢甜食的人，大概就不会叫。在这种场合，有种措辞能顺利卖出甜点，从而提升销售额。那就是：

“甜点有杧果布丁和抹茶冰激凌，您要哪种？”

这样一问，有些人就会不假思索地做出选择，比如“要哪种呢……杧果布丁！”**面对两个乃至更多的选项，一般人都会下意识地从中做出选择**。甜点的利润较高，所以餐厅希望尽可能多的客人叫甜点吃。只要稍微改变店员的措辞，就能提高销售额。

想找到“选择的自由”这个突破口，关键是要给出两个合适的选项，无论对方选择哪个，自己都能达到目的。

“吃甜点还是喝茶？”

如果是这样的选项，一旦对方选择“茶”，自己就赚不到钱了，而无论是“杧果布丁”还是“抹茶冰激凌”，都有赚头，所以要让客人从这两个选项中做出选择。

归根结底，这种“选择的自由”是由对方决定如何选择，所以对方能产生“自主选择”的意识，被迫的感觉就会减少。

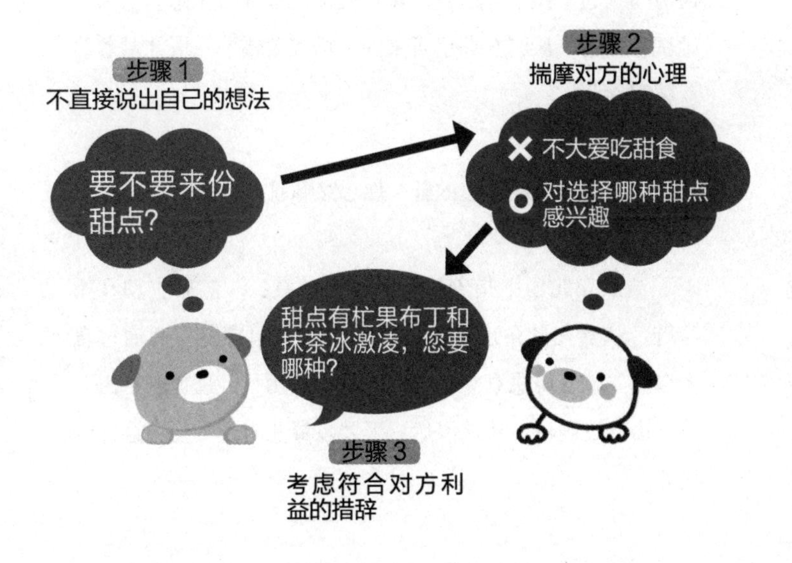

STORY•“选择的自由”实践故事

让不愿穿鞋的幼儿下意识穿上鞋的措辞

坂井惠美（化名）有个两岁的女儿。她每天都会送女

儿去幼儿园，但女儿不愿穿鞋，她又不能送光着脚的女儿去幼儿园，所以很伤脑筋。

“穿鞋。”

就算她这么说，女儿也根本没有穿鞋的意思，反而跑回房间玩起了积木。迟到是家常便饭。坂井很犯愁。一天，她试着使用了从朋友那里听来的“措辞菜谱”。坂井拿着两双鞋问女儿：

“蓝色的鞋和红色的鞋，你想穿哪双？”

结果女儿用手指着说：“蓝色的鞋！”然后主动开始穿鞋。从女儿的角度来说，她不喜欢被迫穿鞋，而通过自主选择，就变得愿意穿鞋了。这就是利用了“选择的自由”这一措辞突破口。从那以后，坂井在育儿时经常使用这样的措辞。

不直接说**“穿衬衫”**，而是问**“有花纹的衬衫和有小熊的衬衫，你想穿哪件？”**

措辞在育儿方面尤其有效，高明的措辞能让孩子变得主动自愿。不过，如果一直使用“选择的自由”，难免千篇一律，所以应该尝试经常换不同的“措辞菜谱”。

育儿时使用“措辞菜谱”的好处，不仅在于孩子能变得主动自愿，而且还能自然而然地从妈妈身上学会如何使用“措辞菜谱”。在孩子的生活中，与朋友或老师交谈的场合非常多，而只要掌握了如何措辞，就必然能减少纠纷。

“措辞菜谱”能成为推动孩子的人生不断向前的真正力量。

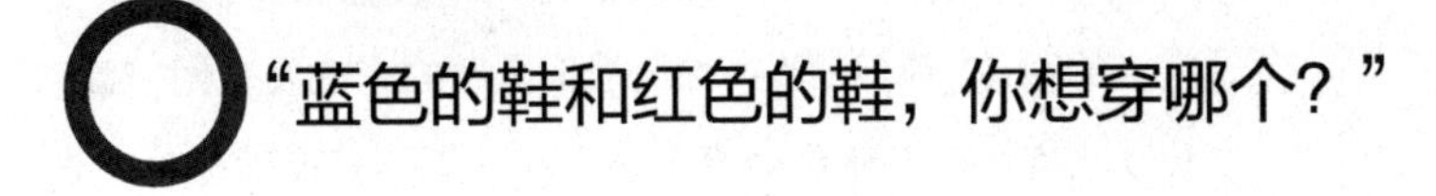

STORY•“选择的自由”实践故事

让不愿出席的人参加工会会议的措辞

大江由香（化名）最近很烦恼。她在前辈的邀请下加入了公司的工会，却在开碰头会时吓了一跳，因为实际出席

的人数远远少于预定人数。大江被委派的任务是：无论如何都要让大家出席碰头会。

“请出席碰头会。”

一开始，大江客气地给所有人发出了这样的邮件，还把包括提醒在内的内容，特意分多次发送。可大家还是不来开会，似乎都认为出席工会的碰头会是一件麻烦事。

于是，大江尝试改变了措辞。由于工会成员多为男性，所以她发出了这样一封邮件：

“碰头会的便当是可选的。烤肉饭和猪排饭，要哪个？”

结果，平时迟迟收不到回信的大江，这次很快就收到了大家的回信。而且，那些每次都不出席的人也发来回信说：“我要烤肉饭。”碰头会当天，大江忐忑不安地等待着。时间一到，大家果然接踵而至。随着“好久不见”的寒暄声，座位很快就被坐满了，平时总是空荡荡的房间，一下子显得特别狭小。

这里就利用了“选择的自由”这一措辞突破口。从大江的角度来说，烤肉饭还是猪排饭都无所谓。无论对方选择哪个，只要出席就行。更进一步地说，毕竟碰头会的便当是按出席人数准备的，而男性会选择自己喜欢的便当，大江正是把“选择的自由”与“投其所好”组合运用，才顺利地提高了出席率。

“措辞菜谱”成了新人大江的“启明星”。

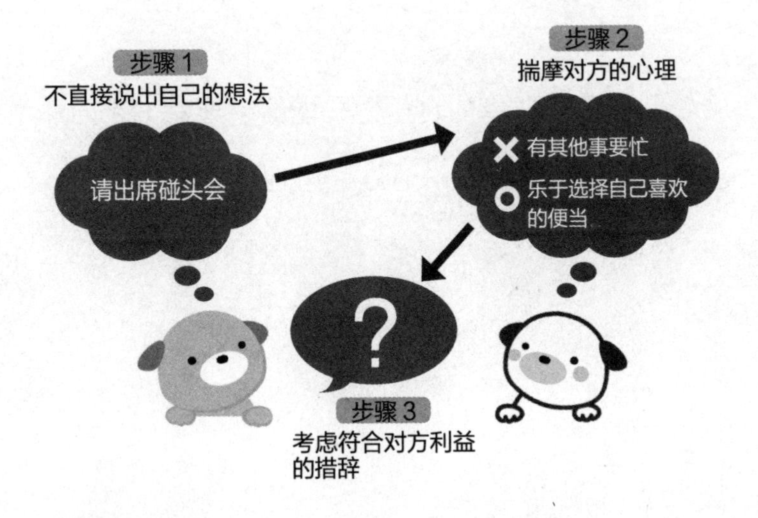

答案 “烤肉饭和猪排饭，要哪个？”

利用“选择的自由”，能够引导对方，同时又不会留下被迫感。

突破口 4：被认可欲

对于生意和家人效果极大！人际关系也会改善

“你把窗户擦擦！我忙不过来。”

妻子对从不干家务活儿的丈夫这样说，丈夫会主动开始擦窗户吗？答案当然是“No”。丈夫会产生被迫做麻烦事的感觉，只想立刻逃开。就算肯擦窗户，也必定极不情愿，会边擦边想：“我每天也有工作要做啊。”那像下面这样说呢？

“你能够到高的地方，能把窗户擦得更亮。拜托了！”

这样一说，丈夫就会跃跃欲试。

这里就利用了“被认可欲”这一措辞突破口。当然，这样说并不能百分之百保证丈夫会擦窗户，但至少不会令他感到不快。

这种“被认可欲”，也可以解释为心理学上的“尊重需求”，即“一个人能做出与他人的期待相对应的成果”。

商务人士自不用说，主妇、学生、老人统统如此。一个人得到别人的认可，就会产生回应期待的欲望。在这种情况下，哪怕是有些麻烦的请求，对方也会欣然接受。

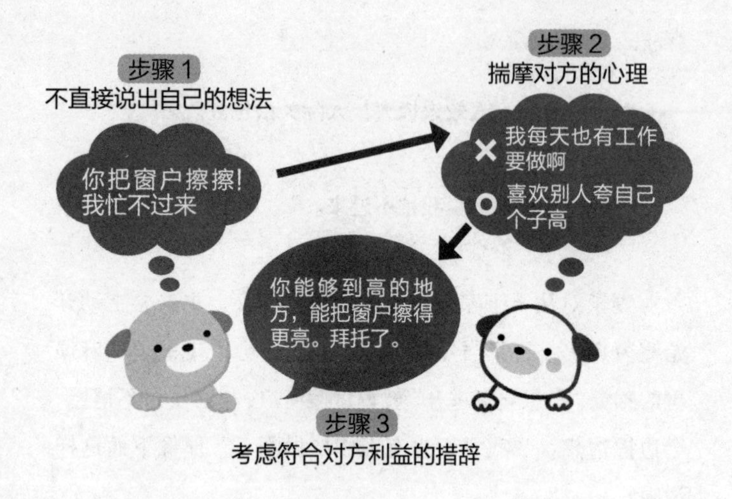

STORY·“被认可欲”实践故事

让打算辞职的新人恢复自信的措辞

“看来他要辞职了……”

藤木真奈（化名）望着新人铃木（化名）心想。

铃木干劲十足，又怀揣着梦想，所以藤木一直在暗中支持他。可是，他在工作中接连失败，饱受责备。很容易就能看出，他已逐渐失去自信。

一天，铃木急匆匆地给藤木打来电话，声称自己交货失误，必须向客户解释。藤木叫铃木立刻给客户打电话道歉，可是藤木在电话里听出，铃木是想让自己代他打电话解释。

“连这点小事儿都办不到？”

若在平时，藤木肯定会像这样表示拒绝，但她这次没这么说，而是变成：

“没关系，铃木你一定能做到！客户也在期待听你亲自说明。”

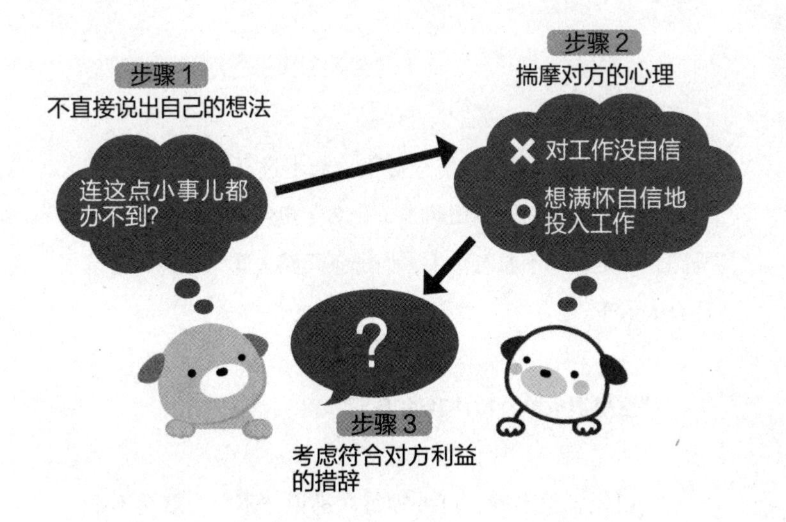

答案 **“没关系，铃木你一定能做到！客户也在期待听你亲自说明。”**

藤木利用了“被认可欲”这一措辞突破口，同时也包含了自己希望铃木努力的期待。数秒钟的沉默后，只听铃木说道：“好，我会尽力！”

他的声音听起来没多少力气。

藤木有些担心，可是没过多久，铃木就兴奋地打来了报捷的电话。

STORY • “被认可欲”实践故事

让不愿牵手的孩子主动牵手的措辞

两个人站在变绿的信号灯下，却不过马路，在旁人看来可能显得很奇怪。下田靖子（化名）想领着三岁的外甥过马路，可是外甥不愿意牵手，而那条马路上车来车往，甚至还有大卡车。

“这里很危险，拉住我的手。”

下田说了很多遍，可外甥每次都说“不”，就是不牵手。看来外甥不想被当成小孩子对待，尽管他明明就是个小孩子……

信号灯又变绿了，可两个人仍旧站在原地。下田望着再度变红的信号灯犯愁。然后，她尝试使用了“措辞菜谱”。

“我一个人很害怕，你能不能拉着我的手一起过马路？”

她反过来把外甥当作大人对待了。结果，外甥很开心地牵住了她的手。这里就利用了“被认可欲”这一措辞突破口。外甥喜欢自己被当成大人对待，于是就变得主动牵手了，而下田也如愿地牵起小外甥的手，放心地过了马路。

当然，下田也可以强行拽着外甥的手过马路，但通过使用“措辞菜谱”，外甥和下田不仅顺利牵着手过了马路，而且两个人都很开心。

这就是措辞的力量。

“这里很危险，拉住我的手。”

揣摩对方的心理

“我一个人很害怕，你能不能拉着我的手一起过马路？”

利用“被认可欲”，对方即使很难对付，也会乐于回应期待。

我很期待

6. 检验你的“措辞拿手度”①

通过一个简单的提问，就能知道你面对前辈或上司等尊长时，是否使用了合适的措辞。你想检验与谁的关系？请先确定对象。

然后请在五秒内做出回答。

Q：“前辈（上司）的孩子叫什么名字？”

能答上来的人，与前辈或上司的关系很好，而答不上来的人，就需要注意了。为什么知道对方孩子的名字如此重要呢？因为在这个世界上，所有人都会对自己的孩子爱若珍宝。知道孩子的名字，说明你考虑过“上司或前辈的爱好”。

相反，不知道孩子的名字，就说明你几乎没考虑过“上司或前辈的爱好”，没能实践“揣摩对方的心理”这条社交基本原则。请立刻调查上司或前辈的孩子的名字吧。

突破口 5：非你不可

听到“只有你是特别的”，人就容易被说动

据说二十多岁的年轻人不会和上司喝酒。

我的朋友问公司的一个新人：

“去喝酒吧？”

对方却反问：

“为什么要去喝酒？”

朋友根本没想到对方会如此反问，慌忙回答：“啊，你要是忙就算了。”

这个时代就是这样。

朋友的烦恼还没完。部门里有酒会，朋友负责组织。部长对他说：“上次人来得不全，这次一定要把人都叫来。”这可是大危机啊。朋友仔细考虑后，使用了这样的措辞：

“市川，你不来不热闹，所以只有市川你务必得出席啊。”

他把这条信息发给了所有部门成员。当然不是群发，

而是对应姓名逐一发送的。结果，当天的部门酒会全员到齐。这就是利用了“非你不可”这一措辞突破口。

“非你不可”就是告诉对方：别人不行，你才是被选中的人。在这种情况下，像“只有市川你”这样加入名字，能使效果倍增。一般人都喜欢“非你不可”的特殊感，听到这样的话，就会感到一种仅限自己的优越感，从而乐于回应对方。

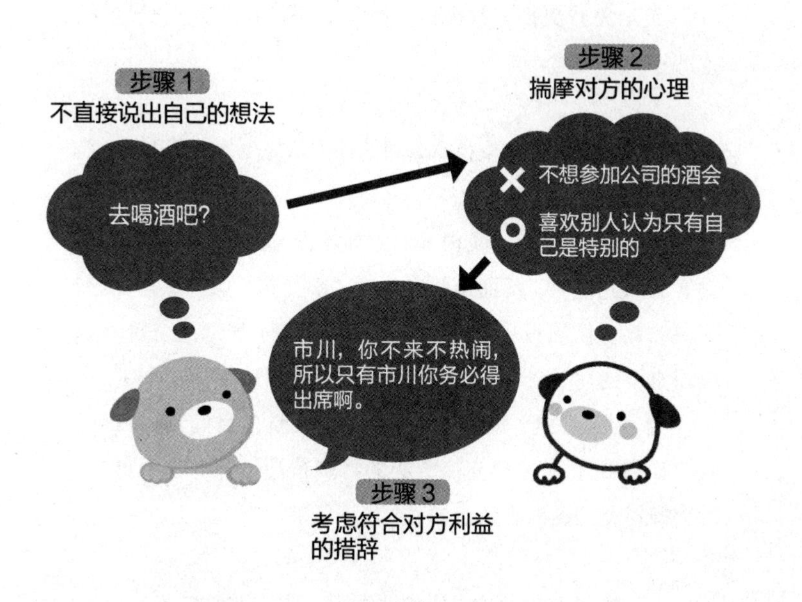

—STORY•“非你不可”实践故事

把投诉变成喜爱的客服措辞

我从电脑到手机的各种设备都是在A公司买的。

可是，我随身携带这些精密机器外出使用时，经常出故障。于是我询问支持中心，得知符合条件就可以免费更换。当时，A公司的客服并没有像下面这样说：

“我们会免费为您更换。”

光是免费更换，我就已经很感激了，可对方更是这样说的：

“我们只为一直支持本公司的佐佐木先生您免费更换。”

听对方这样说，我很开心。原本是对故障的投诉，可是客服如此应对，反而使我产生了“享受到了服务”的良好印象，甚至仿佛只有自己占了便宜，于是不禁觉得“啊，A公司真不错！”

老实说，尽管不知道为什么，但我就是真的觉得只有我自己得到了A公司支持中心的特殊待遇。“非你不可”的突破口就是这么有效。

有一次，我把这件事讲给朋友听，朋友则说：

“我换机器时，对方也是这么说的。”

我很惊讶，就上网调查，发现A公司的客服对所有人都是这样说的。我还看见网上有人留言说：“A公司的服务实在太棒了！”

在当今这个互联网时代，好的口碑会逐渐传开，而差评自然也是如此。

我认为，企业最好能像A公司这样，认真对待与顾客的交流。即使提供的是完全相同的产品，不同的措辞也会对好感度和销售额造成影响。

广告对于销售固然重要，但营业员和客服的交流能力同样重要。

“我们会免费为您更换。”

揣摩对方的心理

“我们只为一直支持本公司的佐佐木先生您免费更换。”

STORY•"非你不可"实践故事

终极问题："工作和我哪个重要？"的正确答案

女朋友彻底怒了。

这不怪她。在一家生产公司工作的永井宏（化名）别说平时了，连周六也得上班。女朋友和他难得见一次面，却发现他总是无精打采的。女朋友甚至想："这样跟不交往有什么区别？"然后，那一天终于到了——两人早就约定一起吃饭的周五晚上。结果，由于永井临时参加一个脱不开身的会议，约会不得不在最后关头取消了。

第二天周六，二人一起吃午饭，席间充斥着连餐厅服务员都不敢靠近的紧迫感，甚至连玻璃杯里的水似乎都在震颤。女朋友开口了：

"工作和我哪个重要？"

如果永井此时回答：

"对不起。但我也不是因为喜欢才工作的。"

那就彻底出局了。女朋友肯定会气得青筋直暴，玻璃杯里的水大概也会震得溅出来吧。

然而，永井当时是这样说的：

“对不起。但是只有优子你，我不愿让你这样想。对不起。是我没用。”

出乎意料的温言暖语……女朋友发现自己的怒火正在逐渐熄灭，进而觉得“我的话是不是过火了？他也要努力工作呀”，从而做出了一定程度上的自我反省。她明白了永井对自己的重视，甚至觉得自己比以前更爱他了。

永井的一句话，在千钧一发的危急关头完成了逆转。那句话绝非刻意敷衍奉承，而是发自真心的，正是命中了“非你不可”这一措辞突破口。

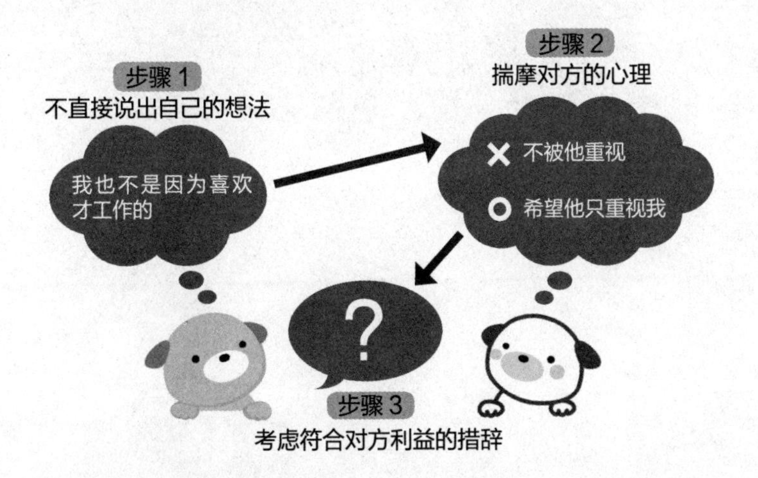

答案 **“只有优子你，我不愿让你这样想。对不起。是我没用。”**

利用“非你不可”，能让对方感到只有自己被选中的优越感，从而乐于做出回应。

突破口6：团队化

“一起”这种说法，本身就令人愉快

“你也来组织酒会吧。”

如果朋友对你这么说，你大概会认为很麻烦，觉得还不如自己一个人组织呢。那像下面这样说呢？

“咱们一起组织酒会吧。”

相较而言，这样说更能让人乐意帮忙。听到“一起”的请求，不仅不会感到不快，反而会觉得有些开心。这就是“团队化”这一措辞突破口。

“一起做怎么样？”

先不管做什么，光是这句话就会令人感到愉快。女性之间被问到“一起去卫生间不？”一般人只要没什么事，都会欣然同行；男性之间被问到“一起去便利店不？”就算不想买什么东西，也会不由自主地跟着去。

喜欢和别人一起做事，本来就是人的本能。利用好这种本能，就算是麻烦的请求，也容易说动对方。

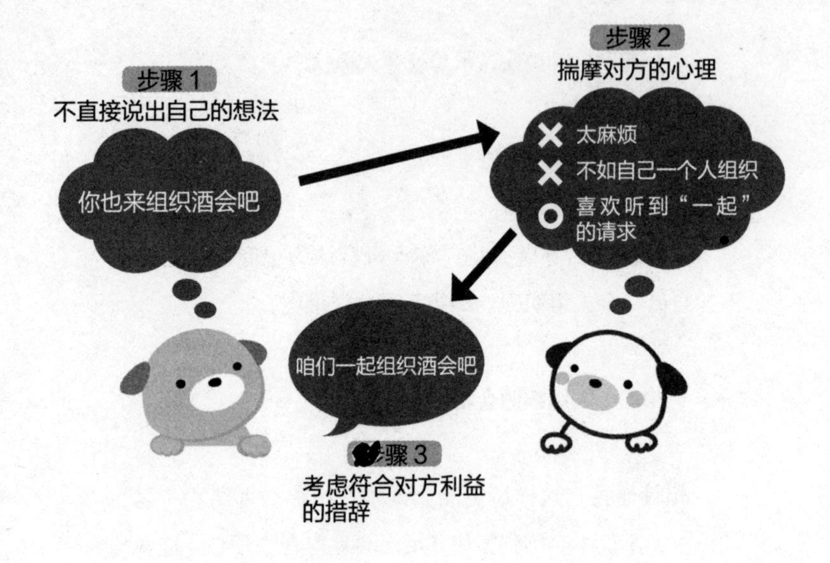

STORY•“团队化”实践故事

使陷入恐慌状态的涩谷十字路口得到巧妙疏导的 DJ 警察的措辞

2013 年 6 月 4 日。

当天的涩谷十字路口格外热闹。在足球世界杯预选赛上，一直以 0:1 落后的日本队，终于在全场比赛即将结束的伤停补时阶段，由本田圭佑射入点球，帮助日本队拿到了参加巴西世界杯正赛的入场券。比赛过程可谓一波三折，极具戏剧性。在涩谷附近喝酒助威的年轻球迷们由于太过兴奋，大量聚集在涩谷十字路口，连擦肩而过的陌生人也会驻足下来，反复击掌，人眼看着越来越多，不仅造成拥堵，还开始陷入恐慌状态。若是平时，在场的巡警会这样说：

“请不要踏入车道！请遵守交通规则！”

可是就算这样提醒，对于因世界杯出线和醉酒而陷入兴奋状态的球迷们也完全没用。然而，当天的巡警不同。后来被称为 DJ 警察的巡警是这样对球迷们说的：

“别看我这个巡警在你们面前板着脸，其实我也因为日本队的世界杯出线而感到开心。”

“巡警也是你们的队友。请听听队友的话。”

听巡警这样一说，球迷们立刻开始鼓掌。这番话一下子就抓住了球迷们的心。年轻人会想：

“原来是队友啊！队友的话必须得听，因为日本队正是靠着良好的团队合作才能出线的……”

这里就使用了“团队化”这一“措辞菜谱”。当晚的涩谷十字路口格外拥挤，但在巡警的巧妙疏导下，没有一个人受伤，最后大家还齐声欢呼“巡警万岁”。

后来，该 DJ 警察获得了“警视总监奖”。这个奖非常

光荣，专门颁给那些在千钧一发的危急关头，完成挽救人命这样丰功伟业的人。这也是第一次有人以“交通管理”的理由获得该奖。

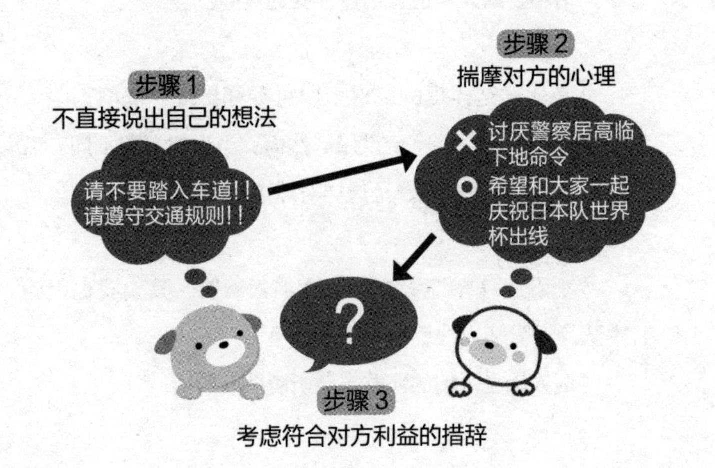

答案 “巡警也是你们的队友。请听听队友的话。”

STORY•“团队化”实践故事

女儿说服完全不运动的父亲开始锻炼的措辞

桥田亚由美（化名）对大学朋友说“我和我爸关系可好了”，经常得到“那可真难得”的回应。父亲非常温柔，很听女儿的话。可是，只有一件事他就是不听。父亲以前也爱运动，可现在只往返于公司和家之间，在公司的体检中只得了个C的评价。

“多运动运动吧。”

出于健康考虑，母亲和亚由美都曾这样劝说过，但父亲完全不动如山，可能是觉得现在再运动也没什么用了，反倒麻烦，所以才没动力吧。一次，亚由美得知“措辞菜谱”的存在后，就死马当作活马医地用在了父亲身上。

“我想夜跑，但自己一个人害怕，你能不能陪我一起跑？”

“大山”瞬间动了。听女儿说完，父亲挠了挠头，最后还是同意跟女儿一起跑步了。

这里就同时运用了“儆其所恶”和“团队化”的技巧。不希望女儿遭遇危险的关爱，和女儿所说的“一起”，终于让父亲动了起来。

大概跑了三次后，亚由美问父亲“瘦没瘦”，父亲出于“被认可欲”，回答“瘦了很多”。不光父亲很满意，亚由美的体重也掉了两公斤，下巴附近瘦了一大圈，也算是喜人的“副产物”。

“多运动运动吧。”

揣摩对方的心理

“我想夜跑，但自己一个人害怕，你能不能陪我一起跑？”

利用“团队化”，能使对方产生伙伴意识，即使是麻烦的请求，也会乐于接受。

突破口 7：感谢

仅凭一句“谢谢”，就能拉近自己与对方的距离，使对方很难说出“No”

“把这桌子搬走。”

明明不是自己的分内之事，却被前辈这样命令的时候，一般人都会觉得“真麻烦”“为什么偏让我做”。在这种情况下，如果换成下面这样的说法：

“把这桌子搬走。谢谢啊！”

对方可能很容易就会被说动。秘密全在于“谢谢”这个词。提前说“谢谢”，人就会在一瞬间隐约产生信赖关系，所以不好意思拒绝。这就是“感谢”这一措辞突破口。

关键在于说“谢谢”的时机。应该在提出请求后立刻就说“谢谢”。

按正常顺序来说，一般都是在事成之后才说“谢谢”，但这个“措辞菜谱”的诀窍就是，要在提出请求的瞬间，趁对方还没做出任何思考和决定的时候，就说出“谢谢”。

这种情况也可以用心理学上的“互惠式好感”来解释，

即“一个人接收到好意，就会产生向对方回报以好意的心理”。

听到对方说“谢谢”的瞬间，就会觉得自己和对方变亲近了。

例如：

“请把货物搬到二楼。谢谢！”
“请把垃圾扔了。谢谢！”
“请最迟在明天答复。谢谢！”

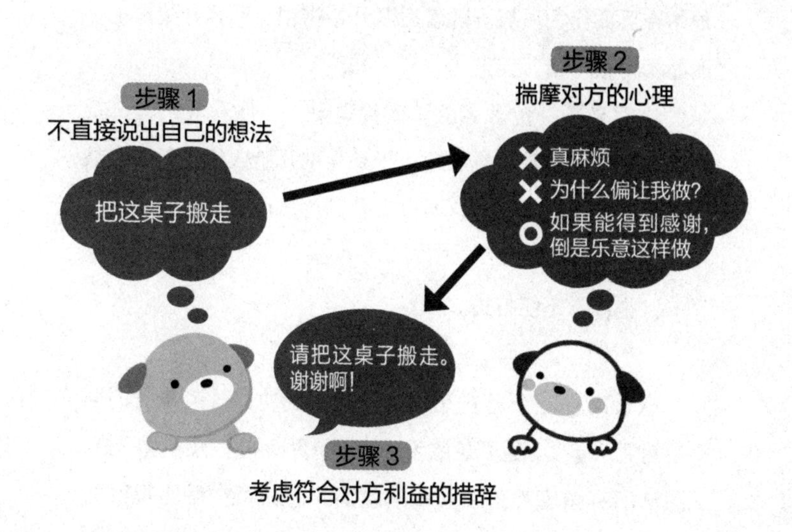

这是一种非常简单的“措辞菜谱”，可以对任何人使用，**如果是平时不说“谢谢”的关系，则更能发挥效力**。例如，很多人习惯不对家人说“谢谢”，因为关系太亲近了。然而，越是这样的关系，越应该经常使用“感谢”这一“措辞菜谱”，可以令家人露出更多、更灿烂的笑容。

STORY•“感谢”实践故事

让砍价高手按定价购买的措辞

河濑和幸是传奇销售员。一次，店里进行实际销售演练，他站在后面作为后援。随着后辈开始推销，顾客开始聚集，商品卖得很不错。

这时来了一位著名的“砍价高手”。他看着销售员推销一款商品，似乎很感兴趣，于是立刻开始砍价，但该商品事先就已定为不能打折，所以后辈销售员说：

“抱歉，不能打折。”

砍价高手至今已在无数卖场砍价成功，对销售员的回答当然无法接受。他开始吹毛求疵，指责印刷上的细微歪斜，试图从所有角度砍价。后辈一脸为难。一直在后面观察的河濑迅速上前，替下后辈销售员，重新向顾客介绍了该商品的魅力。然后，他把手伸入口袋，像掏出什么东西一样，小心翼翼地把手中那个“看不见的东西”放在了商品上。“那是什么？”顾客们纷纷询问。河濑说道：

“请允许我送上我的真心作为赠品，还请高抬贵手。谢谢。”

听河濑这么说，砍价高手笑道：“大哥你很有趣，太有趣了。”最后，他按定价买下了那个商品。这里就利用了“感谢”这一措辞突破口。提出请求后立刻加上“谢谢”，这是基本做法，而河濑更添加了用手放上真心的演绎，使顾客觉得仿佛掏钱买下这个商品，就能额外得到一样可贵之物。在那一瞬间，“感谢”超越了金钱。

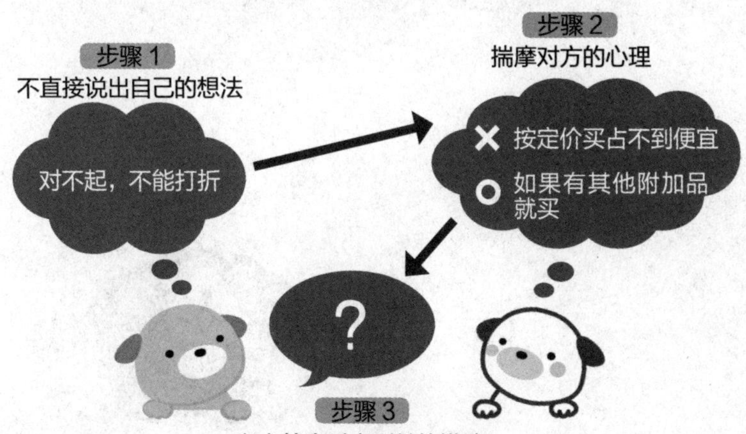

答案 “请允许我送上我的真心作为赠品，还请高抬贵手。谢谢。”

利用“感谢”，能让对方隐约产生信赖意识，从而难以轻易拒绝。

第一章 总结

①利用“投其所好”

既能获得对方的好感，又能实现自己的期望。

②利用“儆其所恶”

能形成强大的强制力。这是措辞的最终手段。

③利用“选择的自由”

能够引导对方，同时又不会留下被迫感。

④利用“被认可欲”

对方即使很难对付，也会乐于回应期待。

⑤利用“非你不可”

能让对方感到只有自己被选中的优越感，从而乐于做出回应。

⑥利用“团队化”

能使对方产生伙伴意识，即使是麻烦的请求，也会乐于接受。

⑦利用“感谢”

能让对方隐约产生信赖意识，从而难以轻易拒绝。

7. 实况转播 1：“别让成功卡在说话上 · 演讲”

大家好，欢迎收看“别让成功卡在说话上 · 演讲”。

我是佐佐木圭一。请多关照。

好，下面我们来实际使用“措辞菜谱”试一试。

要想掌握“措辞菜谱”，输出是最便捷的途径。

请看课题。

实际想一想，其实很容易就能做到。

实例 1：想邀请对方一起吃饭

你想邀请意中人一起吃饭，但对方好像经常受到邀请，所以你一直不敢开口。

怎样说才能成功呢？

我特别喜欢这个工作，因为说不定你们中的某个人的人生就会由此改变（笑）。男女开始亲密交往的第一步，就是一起吃饭，但邀请的时候应该怎么说，真的很难。

“一起吃顿饭吧？”

比起这样的单刀直入，不如使用“措辞菜谱”，能在很大程度上提高成功的可能性。

下面来想一想。

步骤 1：不直接说出自己的想法。

步骤 2：揣摩对方的心理。

例如，假设对方的情况如下：

“经常受到邀请。”

“喜欢美食。”

“想去平时去不了的地方。”

在此基础上，确定步骤 3：

考虑符合对方利益的措辞。

准备好了吗？

好，开始！

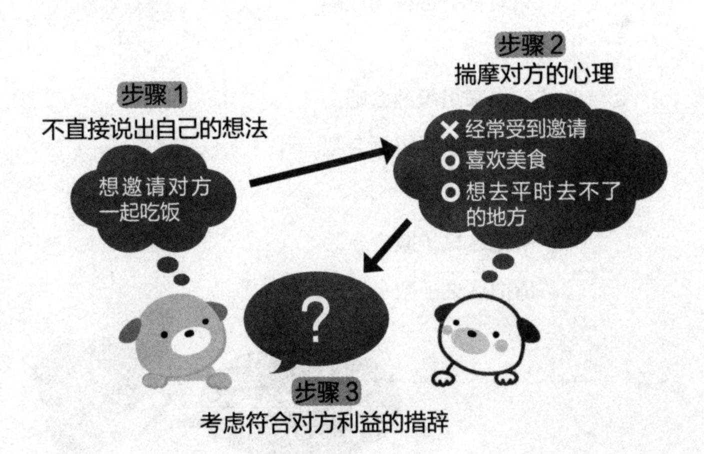

把“No”变成“Yes”的“7个突破口”

①投其所好

×“这种衬衫只剩这一件了。”

○“这种衬衫卖得特别快，这是最后一件了。”

②儆其所恶

×“请勿触碰展品。”

○“涂有药品，请勿触碰。”

③选择的自由

×“要不要来份甜点？”

○“杧果布丁和抹茶冰激凌，您要哪种？”

④被认可欲

×“你把窗户擦擦！”

○“你能够到高的地方,能把窗户擦得更亮。拜托了。”

⑤非你不可

×“去喝酒吧？”

○“只有你务必得出席啊。”

⑥团队化

×“你也来组织酒会吧。”

○“咱们一起组织酒会吧。”

⑦感谢

×“请把这桌子搬走。”

○“请把这桌子搬走。谢谢啊。”

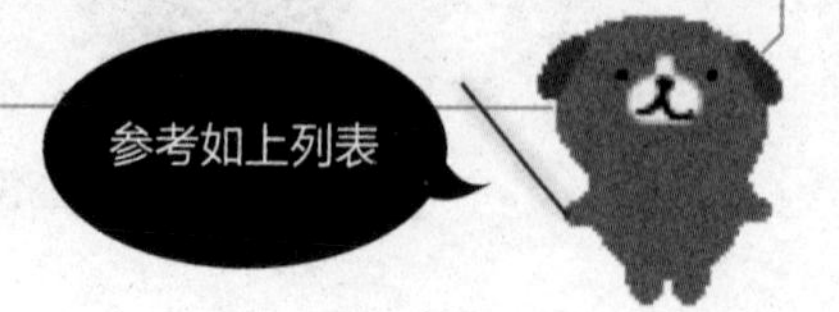

线索就在“7个突破口”里。

利用哪个突破口都行。

不妨把几个突破口全写出来，从中选择最有可能说动对方的那个。

下面开始发言。有请出口。

出口：“是。我是利用投其所好，**像（1）这样**写的。”

（1）

想邀请对方一起吃饭

①投其所好

常去的那家餐厅很快就要停业了。

趁停业之前去一趟吧？

原来如此。

你是想勾起对方的怀念情绪，从而达成目的。

只是有一点。

你利用了“投其所好”，但“常去的餐厅”能在多大程度上投其所好，似乎不太好说。

不如试试更简单明了的“投其所好”吧。

比如**像（2）这样**。

（2）

想邀请对方一起吃饭

①投其所好

那家特别好吃的餐厅很快就要停业了。

趁停业之前去一趟吧？

出口：“啊，真的。我觉得这样说能成功！”

不要从自己的角度出发，要想想对方喜欢什么，就能找到答案了。

显而易见，比起直接说“请和我一起吃饭”这样的措辞能在很大程度上提高成功的可能性。

接下来请松井发言。

松井：“是。我是像（3）这样写的。”

（3）

想邀请对方一起吃饭

①投其所好

刚从夏威夷上岸的烤饼店开业了。

①投其所好

现在客人还不多，要不要一起去？

这个不错！

要是我的话，就挺想去。

这里有两个“投其所好”的突破口。

既然对方想去平时去不了的地方，那么“刚上岸的烤饼店”和“现在客人还不多”应该都能吸引对方。

找到了令人心动的店！

关于这个课题，我是像（4）这样写的。

（4）

想邀请对方一起吃饭

①投其所好

③选择的自由

航天食物餐厅和学校食堂，你想去哪里一起吃顿饭？

这里利用了“投其所好”和“选择的自由”。

就算对方不太想去，如果面对像这样的两个选项，也往往会从中做出选择。

你要做的就是选择两个餐厅，不是“自己”想去的，而是“对方”可能会去的。

考虑到对方“想去平时去不了的地方”，我给出了“航天食物餐厅”和“学校食堂”这两个选项。

当然，这样说并不能百分之百保证对方一定会同意，但比起“下次一起吃饭吧”这样的措辞，能在很大程度上提高成功的可能性。

下面说说要点。

人总是容易下意识地直接说出“心里所想”，但往往并不能成功。如果是重要的请求，请在“揣摩对方的心理”之后再说出来。

请看下一个课题。

要点

直接说出心里所想，往往并不能说动对方。
要在揣摩对方的心理之后再说。

实例 2：希望下属准确报告

村山是你的下属。

报告的内容总是含糊不清。

怎样说才能让村山准确报告呢？

上司想了解下属的“行动”，可下属或是觉得麻烦，或是不想被管，总是不好好做报告。

请想一想，怎样说才能让下属村山变得乐意主动做报告。

好，开始！

下面开始发言。有请德永。

德永：“是。我实际上会像（5）这样说。”

（5）

希望下属准确报告

②儆其所恶

如果不准确报告的话，要是出了问题，你得承担后果。

谢谢。

你使用了“儆其所恶”。

的确，这样一说，对方就会觉得“不好好报告会惹麻烦”。

不过，换作是我的话，会尽量把“儆其所恶”当作万不得已才使用的手段。

德永：“万不得已才使用的手段？”

是的。“儆其所恶”的确很强大，能说动对方，但这是唯一一个不“积极”的“措辞菜谱”。

我要是想传达同样的内容，会利用其他突破口。

比如像（6）这样。

（6）

希望下属准确报告

①投其所好

为了确保在出问题之前我能保持跟进，请准确报告。

这是使用了“投其所好”。

除此之外，使用“被认可欲”“感谢”等“措辞菜谱”，可能也比较容易成功。

比起“惹上司发火了，只能这样做了”的消极选择，请让下属做出“因为自己想做，所以要这样做”的积极选择。

如果这样说完，对方仍然不改，我才会使用“儆其所恶”。

关于这个课题，我是像（7）这样写的。

（7）

希望下属准确报告

①投其所好

④被认可欲

我想提高对你的评价。在此期间，如果你能好好做报告，我也方便给好评。

这里使用了“投其所好”和“被认可欲”。

如果上司直接说“希望你能准确报告”，下属就会觉得“真麻烦”。

但像上面这样说，下属就会乐意主动报告了。

德永：“上个课题时我就在想，可以同时利用两个以上的突破口吗？”

当然可以。

同时利用多少个都没关系。

实际上，同时利用多个突破口比只用一个更有效。

德永：“我还有一个问题。像这样按照参考示例，我能想出措辞，可一到关键时刻就容易忘。该怎么办呢？”

这个问题很好，有个好办法：

首先请用电邮或SNS等工具进行练习。

在面对面的情况下突然使用“措辞菜谱”，的确很难，而写成文本，可以考虑好再发送，所以适合作为练习。

在有意识地使用过程中，就会变得逐渐熟练，以后即使在面对面的场合，也能信手拈来。

下面说说要点。

“投其所好”和“被认可欲”

——这两个突破口是生意场上的利器。

能在工作中拉近与对方的关系，同时使事态逐渐朝自己期待的方向发展。

在生意场上，利用“投其所好”和“被认可欲”很有效。

说到生意场，可能容易给人以例行公事的冷漠印象，但对于工作中的关系来说，能在多大程度上揣摩对方的心理，恰恰是关键所在。

请留意观察你周围工作出色的人的措辞。

他们应该有很大概率经常同时使用这两个“措辞菜谱”。

接下来是最后的课题——对上司使用的措辞。

下面介绍的措辞很实用哦！

实例3：希望上司提供建议

你在工作上非常苦恼，但上司远山很忙，抽不出时间帮助你。

该怎么说，才能让上司抽出时间给你提供一些建议呢？

有的上司看起来很忙，下属很难找到机会搭上话。

也有的人跟上司的关系总是处不好。

事实上，经常有人找我咨询这方面的烦恼。

我们一起想想应该怎么对上司说吧。

还是不能把心里的想法直接说出来，请考虑怎样措辞才能让上司乐意主动抽出时间。

好，开始！

下面开始发言。有请增田。

增田："是。我尝试像（8）那样使用了'非你不可'。"

（8）

希望上司提供建议

⑤非你不可

有件事需要马上做出决定，我想请您指点一下。

不错。

的确，像这样说，上司应该会抽出时间。

但严格来说，“有件事需要马上做出决定”应该算是“投其所好”。

既然想按照“非你不可”，就应该使用更明确易懂的措辞。

请看下面。

（9）

希望上司提供建议

⑤非你不可

有件事需要马上做出决定，我想只请您指点一下。

像（9）这样，通过加入“只”，明确告诉对方：不需要别人的建议，只需要远山你的建议。这样一来，对方就容易被说动了。

人一旦觉得“只有自己受到了特殊待遇”，就会变得乐于接受。

增田：“其实我也有个合不来的上司。”

原来如此。任何人都有合不来的人。

增田，你考虑过对方的想法吗？

增田：“嗯，可能没怎么考虑过。”

我想也是。

所谓合不来，其实原因多在于没考虑过对方的心理。

交流的基本就在于“能在多大程度上揣摩对方的心理”。

对于合不来的上司，只要揣摩对方的心理，关系就会逐渐变好。

关于这个课题，我是像（10）这样写的。

（10）

希望上司提供建议

④被认可欲

我想努力追上您的脚步，您能听听我在工作上的烦恼吗？

这里利用了“被认可欲”。

事实上，每个上司都会感到不安。

他们会想：“下属真的信赖我吗？”

有这样一件事。

我曾与某上市企业的著名社长交谈过，他当时说过这样一句话：

“我很不安。员工们真的信赖我吗？”

我很惊讶。如此著名企业的社长，原来也会担心“下属怎么想”……

只要是上司，都会有“下属信赖我吗？”这样的不安。

下面说说要点。

不管是社长，还是部长、课长、现场领导，**有下属的人都会感到不安。作为上司，其实更想得到认可。**

绝大多数下属都不知道这个事实。

所以，你在面对上司的时候，请营造温暖的氛围，告诉上司：

“我信赖您。”

“我想向前辈您学习。”

这样一来，上司就会乐意支持你了，而你和上司的关系自然也会变好。

“被认可欲”这个突破口，容易让人以为是上司对下属使用的，但实际上，下属对上司使用同样非常有效。

④被认可欲

上司“更想得到认可”。

由下属说出认可的话，

上下级关系和工作都会变得顺利。

8. 检验你的“措辞拿手度”②

通过一个简单的提问，就能知道你在与人交流时有没有做错。请用“Yes”或“No”回答。

Q：“你还记得今天说过‘谢谢’的人吗？”

比如，你在便利店购物时，向你道了声“谢谢惠顾”的售货员也可以。还有，你对谁说过“谢谢”吗？记得的人没什么问题，但不记得的人在交流时做错事的可能性就很大！

适合说“谢谢”的时机，平均每天有 31 次。“谢谢”这个词，能拉近你和对方的距离。

“请抬走这些货物，谢谢！”

像这样感谢对方，对方就不会觉得反感，也容易被说动。

如果能把每天说“谢谢”的 31 次机会全部抓住，就能在成为措辞高手的道路上迈出第一步。很简单。只需要说声“谢谢”。

第二章

完美掌握！创造“警句”的技巧

1. 能打动人心的语句，可以通过“菜谱”创造

措辞和做菜一样。

珍馐佳肴并不是用魔法凭空变出来的，而是按各自的菜谱做出来的。

只要有了菜谱，就算达不到专业大厨的水准，也能做出家庭大厨的味道。如此一来，就能比以前的水准更上一层楼。哪怕是做炒饭，只要知道把配料“细细切成和饭粒一般大小”，就能做出与配料的鲜味相协调且口感好的炒饭。同样的食材，只是切碎的方式不同，味道就会发生变化。

为了达到专业大厨的水准，如果从零开始研究，或许要花上好几十年才能办到。但是，只要有了专业大厨的亲传菜谱，此时此刻就能做出美味佳肴。

正如做菜有菜谱一样，措辞同样有谱可循。我同语言打了十八年的交道，其间不断犯错，终于尝试出了正确的“菜谱”。下面就把这个“菜谱”和我收集的实践事例介绍给大家。

2. 能打动人心的人，必然拥有“警句”

“就算讨厌我，也请不要讨厌 AKB！”

已从 AKB48 毕业的前田敦子的这句名言，可谓无人不

知。由于她是该女子团体的王牌成员，所以必须承担带领团队前进的压力，以及来自反对者的骂声，而她用这句话做出了出色的回应。

“不是头发在后退，而是我在前进。”

有人在推特上发言调侃：“孙正义的头发后退得不够彻底啊，哈哈哈。”对此，孙正义在推特上发表了上面这句话。正因为他始终奔走在最前线，才能说出这样的话，而且展现了出众的幽默感。恐怕很多人都是因为这句话而喜欢上了孙正义。

“人生近看是悲剧，远看是喜剧。”

人称喜剧之王的查理·卓别林所演绎的，并不只是简单的喜剧，更是庶民的哀愁和泪水，以及对社会的讽刺。然而世界形势已经趋向悲观，所以他说这句话，是想把悲苦变成欢笑。

“看似无意义的事，竟是有意义的。”

这句话出自电视广播作家铃木收所写的《电视之泪》。他曾目睹一位精明强干的制作人，让一个岂止是心情不佳，

简直就是气急败坏的女演员瞬间露出了笑容。乍一看似乎毫无用处的关心，竟然结出了硕果。铃木收有感而发，便写下了这句话。

“普通好过超凡魅力。”

这句话出自《藤田晋的工作学》一书，针对的是大众传媒所宣扬的“超凡魅力”。也就是说，藤田晋更注重“普通”。比起人们被动地聚集在魅力超凡的经营者身边所组成的公司，他更想创立一个由比自己更优秀的人所组成的公司。

无论是历史上的人物，还是当代的企业家和领导，他们的手中无一不握有警句。想完成一件事，需要有赞同者，而想要赢得赞同者，就必然需要能打动人心的警句。

这些名人所说的话，看起来好像根本无法模仿，但实际上，我们只要逐一解析，就能发现某种任何人都能运用的法则。**前面那些历史上的人物及当代企业家的名言，也均出自“某种共通的技巧”**。请从卓别林的名言看到藤田晋的名言。明白了吗？

所有人都使用了**“反义词”**。

“我”⟺“AKB”

“后退”⟺“前进”

“悲剧”⟺“喜剧”

“无意义”⟺“有意义”

“超凡魅力”⟺“普通”

加入反义词，能给人留下深刻的印象。这就是使用了“反差法”这一措辞技巧，后文还会细讲。只要意识到这一点，就能创造出警句。再说一遍：你也能创造名言。

3. 把交流视为“技巧”而非“唯心论”

我们平时看书、看电影，都能见到震撼心灵的语句。那可不是魔法变出来的。只要懂得方法，再加以练习，任何人都能创造出名言警句。

请想象一下。

你在SNS上发表的文章，得到的点赞数骤然增加；企划书做得特别出色，看得上司拍案赞叹；你的讲话能吸引大批听众……

人们常用感觉或精神论来解释这些现象，而本书将尝试从“技巧”的角度加以解读。正如做菜有菜谱，只要掌握了“措辞菜谱”，任何人都能创造出足以打动人心的语句。从现在开始，后面的内容会越来越有趣。

技巧 1：“惊奇法”

瞬间即可完成的“菜谱”。

在创造“警句”的众多技巧中，它是基本中的基本。只要在想传达的内容中加入表示惊奇的词，就能构成警句。

“噢咦！等等！”

这是木村拓哉在电视剧《恋爱世纪》中，对将要离去的女主人公所说的话。他想传达的内容就是“等等”，但通过加入“噢咦”，就产生了独创性。后来，木村又在多部电视剧中这样说过，这句话成了他的独门绝技。

“震惊全美！”

这句话常被用作电影的宣传语，它令人一看就想知道究竟是什么样的电影，并将其加入观影候选名单中。当然，其实并不是所有美国人看完都震惊了，这句话的意思就是“正在全美国上映”“故事情节一波三折”。

“啊地吓一跳的为五郎”

被称为“昭和三大笑料”。这个名称里表示惊奇的词，有“啊”和“吓一跳”。如果只有“为五郎”这一个词，那就只是一个独特的名字而已。通过加入表示惊奇的词，就成了长久留在人们记忆中的跨时代的名字。

“喔喔！真是我的挚友啊！”

《哆啦 A 梦》里的刚田武总是脾气暴躁，但只要别人支持他成为歌手的梦想，他的态度就会骤然一变，说出上面这句话。光是“真是我的挚友啊”这句话，就蕴含了感动、激动之情，再加入“喔喔”，更进一步加强了力度。

“啊，物超所值。”

这是似鸟公司的宣传语。“物超所值”代表买得划算，在此基础上又添加了“啊”这个惊奇词，非常巧妙。

上面这些句子都使用了惊奇法。

人都喜欢惊奇。同样的内容，在吃惊时能给人留下更强烈的印象。比如生日会。普通的生日会尽管也很开心，但如果秘密举办，当寿星毫无准备地打开门，看到大家都在等待自己的时候，心里的感动肯定会提升好几级。而实际上，生日会本身的内容是完全一样的—— 一样的蛋糕、一样的人。真正打动人心的正是那份惊喜。

语句也一样。加入吃惊时脱口而出的话，就能吸引别人关注。

下面介绍惊奇法的“措辞菜谱”，分为两个步骤：

①确定想传达的内容

②加入适当的惊奇词

例如，用惊奇法写“大章鱼烧”。

①确定想传达的内容

→就是“**大章鱼烧**”全体。

②加入适当的惊奇词

→就是“**哇**”“**吓一跳**”等。

Before：“大章鱼烧”

After：“哇！大章鱼烧”

哪个给人的印象更强烈，可谓一目了然。

这里所谓的“惊奇词”，是指惊奇法所使用的表示惊讶的词。例如：

“哇”
“啊”
“吓一跳”
“对啊”

不同的人有不同的惊讶方式。这是个人的自由。

下面有张列表。你既可以直接使用其中的词，也可以使用自己惊讶时常用的拟声词。

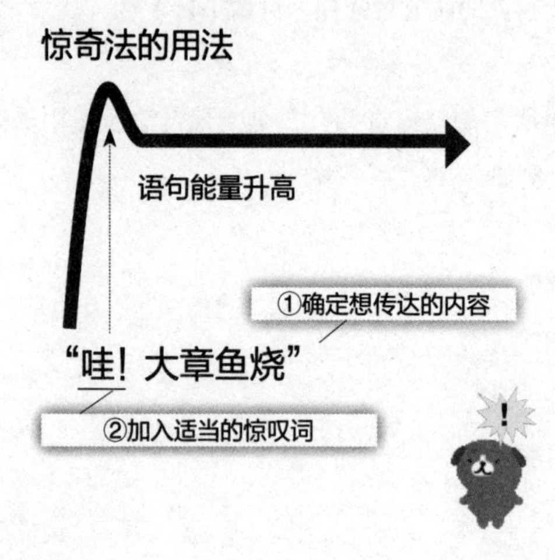

【惊奇词表】

“啊”

“哇”

“对啊”

“吓一跳”

“喔喔喔！”

“哎呀”

“竟然是这样！”

“啊呀”

“哎！？”

“真的！？”

“难以置信”

“（放在句尾的）！”

为了掌握“惊奇法”这种技巧，请通过下面的实践故事加以体验。

STORY • “惊奇法”实践故事

日本代表文化的漫画中的口头禅

说起路飞的口头禅，应该很少有人不知道吧。

《海贼王》已经不只是一股风潮，更成了一种文化，是日本漫画的代表。主人公路飞誓要得到拥有世上一切的海贼王的称号（当然只是故事情节而已）。他的那句口头禅，想表达的内容就是：

“我要成为海贼王”

仅从意思上来说，这就完全能表达清楚了，但光凭这句话，肯定成不了名言。实际上，路飞是这样说的：

“我要成为海贼王！！！”

通过使用“惊奇法”的“！”，增强了气势，体现出强烈的意志。**“！”是惊奇法基本中的基本，但正因为是基本，才非常强大。**

当然，有的场合能使用惊奇法，有的场合则不方便使用。例如，在商业文件中如果加入“！！！”，就会显得做过头了，但对于面向年轻人的网络媒体等，则非常合适。

简单、迅速、效力强劲——这就是“惊奇法”的特点。

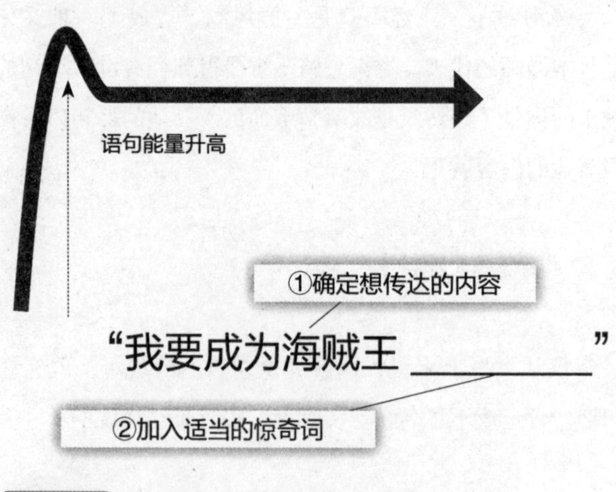

STORY•“惊奇法”实践故事

使自行车的销售额提高三倍的措辞

请回忆自己的童年。说到骑自行车，大概都是装上辅助轮再练习，还得哭着进行特训吧。开发玩具的渡边未来雄为三四岁的孩子制作了一款适合初次挑战的自行车，拆掉了脚踏板，一开始用脚蹬地前进，从而逐渐找到平衡感。

这款“变身自行车”承载了他的巨大期待，可是发售以后，只卖出了全年目标的一半。商品本身很好，但“无须特训就能学会骑自行车”这一宣传口号，没能引起妈妈们的兴趣。眼看着一年一度的东京玩具展即将举办，渡边打算借此机会一举扭转局面。他想透过宣传告诉大家：

“半个小时就能学会骑自行车”

他彻夜思考，嘴里不停念叨，终于想出了这样一句宣传语：

“啊！只要半个小时就能学会骑自行车！”

妈妈们对这句口号的反应明显变了。商品本来就很有实力，实际试过之后，在半个小时内学会骑自行车的孩子越来越多。在玩具展上，该自行车成了热门商品，顾客们排起最长的队伍，等了三个小时才买到。改变措辞以后，销售额提高了三倍。作为儿童用自行车，该商品掀起了史无前例的大热潮。

惊奇法的用法

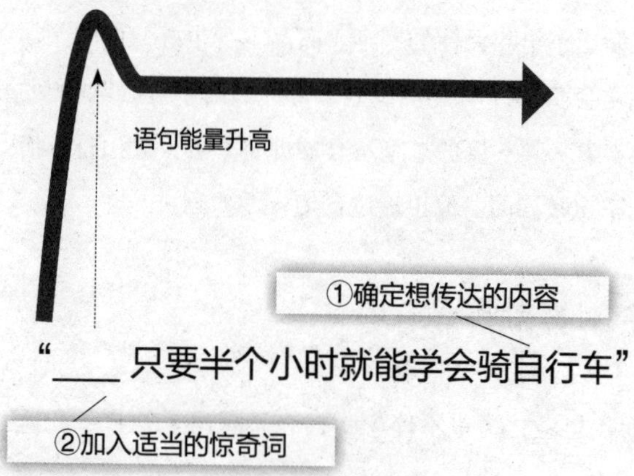

语句能量升高

①确定想传达的内容

“____只要半个小时就能学会骑自行车”

②加入适当的惊奇词

答案：“啊！只要半个小时就能学会骑自行车！”

瞬间即可完成的“措辞菜谱”——“惊奇法”

技巧 2：“反差法”

即使忘记其他“菜谱”，也请务必记住这个“菜谱”。

将想要传达的内容，与“反义词”放在一起，就能形成令人印象深刻的信息。我之所以写上一本书《别让成功卡在说话上》，原因之一就在于“反差法”。这个“措辞菜谱”是我发现“语言有法则”的契机。

有些不擅长做饭的主妇，偷偷学习著名餐厅的菜谱，做出一桌好菜，令家人大吃一惊。利用这个“措辞菜谱”，我们也能在语言上做到同样的事。

“好像在做梦”“可又不是梦”

这是吉卜力工作室的名作《邻居托托罗》（译者注：国内常见译名为《龙猫》）中，主人公皋月和妹妹小梅所说的话。原本只是想表达“不是梦”，但通过加入含义相反的“好像在做梦”，就给人留下了更多的回味。

“最好是枚金牌，最坏也是金牌。”

在悉尼奥运会的记者会上，被问到参赛目标的田村亮子选手，通过这句回答表达了自己的决心。“最坏也是金牌”

的表意已经足够清楚，而她又加上了含义相反的“最好是枚金牌”，令全日本为之感动，也给大家带来了希望。

“天不造人上人，亦不造人下人。”

这句话是福泽谕吉所著的《劝学篇》的开篇首句。在明治维新时期，福泽谕吉宣扬人本无上下之分，乃是通过学习才分出差距。“天不造人下人”是他想传达的内容，而通过加入反义词，就形成了强烈的反差，令人过目难忘。

“口味深浓，兼具清爽”

这句宣传语在啤酒市场引发了一场革命。它不仅道出了朝日公司的“Super Dry”啤酒在口感上的“清爽”，还表达出在味觉上的相对“深浓”，帮助该啤酒一举登上业界销量榜首。该啤酒不光味道极具革新性，连这句宣传语也异常“清爽”。

《美女与野兽》

这个故事讲述了一个王子被人施加魔法变成野兽的模样后寻找真爱的历程。这本是一则法国民间故事，被迪士尼公司拍成动画片后，顿时风靡全世界。标题中加入“美女”

和“野兽”这两个反差明显的词，形成了极大的冲击力。

上面这些语句，无一不令人过目难忘。

很多人以为，这样的名言完全是天赐的，只会落在“极少的一部分天才”身上。我在醒悟以前也是这样想的。但事实上，这些名言存在共通点，任何人都能将其重现。

所有这些名言，都包含了反义词。

“在做梦”⟺“不是梦”
“最好”⟺“最坏”
“人上人”⟺“人下人”
“深浓”⟺“清爽”
“美女”⟺“野兽”

这并非偶然。创造警句的线索就藏在其中。只要将反义词组合使用，任何人都能创造出警句。**心理学上有一个与这种反差法相似的法则，称为“得失效应”。该法则在人际交流方面的解释是：“最初的评价是消极的，但在不经意间看到积极的一面，评价就会猛然涨高。”**

比起其他“措辞菜谱”，反差法需要掌握一些窍门，但效果非常明显，能让你创造出以前写不出来的警句。

下面介绍反差法的“措辞菜谱”，分为三个步骤：

①确定最想传达的内容
②在前半句加入反义词
③自由加入其他词，使前后句连接起来

例如，用反差法写“大章鱼烧”。

①确定最想传达的内容
→假设这里是“**大**”。

②在前半句加入反义词
→“**大**”的反义词是“**小**”。

③自由加入其他词，使前后句连接起来
→加入“**显得盘子很小**”，使前后句连接起来。
Before：“**大章鱼烧**”
After：“**显得盘子很小的大章鱼烧**”

一眼看上去，就会觉得 After 的部分更厉害。

反差法的用法

反差

①确定想传达的内容

“显得盘子很小的大章鱼烧”

②在前半句加入反义词

③自由加入其他词，使前后句连接起来

比起轻松的恋爱，困难重重的恋爱更富激情。

比起只放砂糖的豆馅儿，同时加入盐的豆馅儿吃起来更甜。

语言也能应用相同的原理。

为了掌握“反差法”这种技巧，请通过下面的实践故事加以体验。

STORY•“反差法”实践故事

乔布斯吸引下属、激发干劲的措辞

故事发生在年轻的史蒂夫·乔布斯在苹果电脑拥有自己团队的时期。团队试图实现的是令人感动、改变常识；团队成员追求的是前所未有的创意、超越业界藩篱的探索。乔布斯用下面这句话比喻了自己这伙人试图打破常规的风格：

“当海盗更有趣。”

光是这句话，就已经相当朗朗上口了，因为它的内容很独特。然而，乔布斯没有就此罢手，他实际说出的话给人的印象更深刻：

“加入海军还不如当海盗更有趣。”

他加入了无拘无束的“海盗”的反义词——重视纪律的“海军”。这正是“反差法”的应用。电脑业界此前一直追求的是严格遵循既有的正确常识，而乔布斯可谓倒行逆施，他将令人感动、改变常识作为自己的职责。

下属们听到这句话，顿时变得干劲冲天。苹果公司正是从这个当时还很小的团队中爆发出独创性，成长为独树一帜的超一流企业。

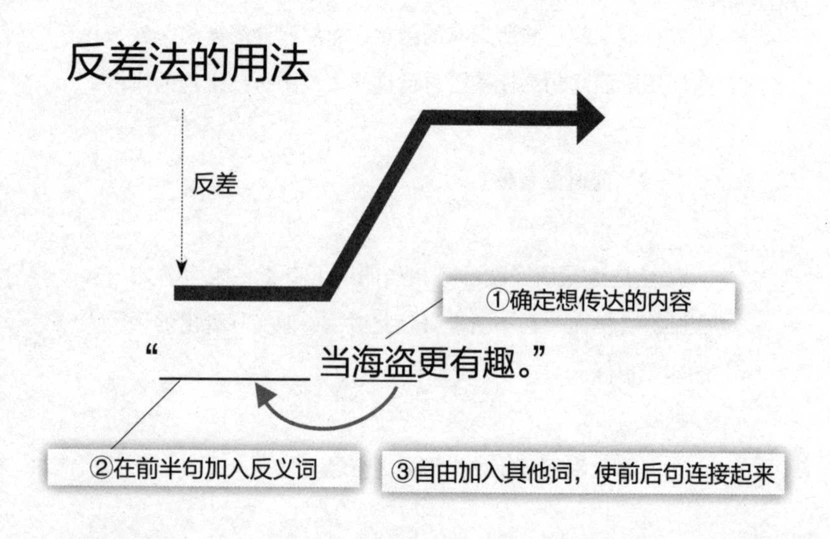

答案：“加入海军还不如当海盗更有趣。”

STORY •“反差法”实践故事

所有人争相模仿、斩获流行语大奖的著名台词中的秘密

《半泽直树》是一部讲述主人公向强权发起反击的酣畅痛快的电视剧。

对于升职无比执着的上司，明明自己犯了错，却谋划让半泽直树背黑锅。半泽陷入走投无路的危机。对于如此卑劣的行径，半泽是这样说的：

“加倍奉还！”

这个词之所以能从为数众多的电视剧和现实人物的话语中脱颖而出，夺得流行语大奖，自然是有原因的。当然，电视剧的内容本身也很有趣，但除此之外，我们还能在半泽直树每次当众说出的那句闪亮的话语中找到线索。还记得吗？那句话就是：

“人若犯我，我必犯人，还要加倍奉还！”

其中的“人若犯我，我必犯人”就出自反差法。这是由“我必犯人”与含义相反的“人若犯我”组成的，在此基础上又加入了“加倍奉还！”，所以令人感到十分痛快。

这句名言并不是由饰演半泽直树的堺雅人突然灵光一

现，在摄影机前喊出来的，而是作家经过反复斟酌，仔细考虑说什么台词才能掀起高潮，令观众高呼过瘾，才最终确定下来的。警句的出现必定有其理由。

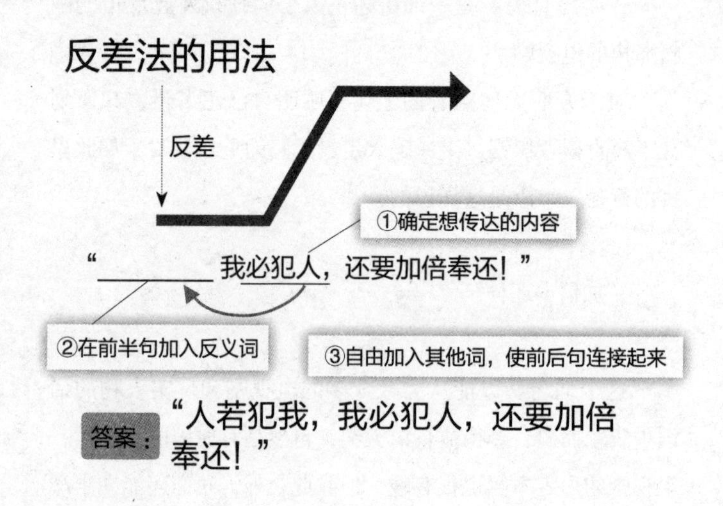

我曾见过一段很了不起的话。

那是刻在印度孤儿院墙上的一段话，据说特里莎修女生前对其格外重视。这段话偶尔用到了反差法，但作者并没有刻意顾及“法则”，而是坦率地写出了人类的“本质”：

人是不讲理的，会做自私的事。

即便如此，也请原谅。

你若显露善意，必会被人怀疑。
即便如此，也请坚持。

你若获得成功，必会遭叛树敌。
即便如此，也请成功。

你若做人正直，必会为人所骗。
即便如此，也请正直。

你用多日所创，别人一晚即毁。
即便如此，也请创造。

你寻安乐幸福，必会遭人妒忌。
即便如此，也请幸福。

今日纵然行善，明日或即被忘。
即便如此，也请行善。

你若予人以物，必有人不知足。
即便如此，也请给予。

即使忘记其他“措辞菜谱”，也要记住这个能创造名言的“措辞菜谱”——“反差法”

技巧 3：“赤裸裸法”

令人脸上发烧、难为情的、暴露自我的“措辞菜谱”。

能让你创造出自己从来没写过的、充满人情味儿的、生气勃勃的、吸引人的话语。

“心情超爽！”

这是在雅典奥运会上夺得金牌的北岛康介选手所说的话。他在受伤及身体欠佳的艰难状态下赢得了胜利。抵达终点后，他振臂击水，数次仰天长啸。接受采访时，心情从紧张中得到释放，他不禁喜极而泣，然后直接说出了自己当时的心情：“激动得战栗！”“心情超爽！”

“你忍痛努力了。我很感动！”

这是日本前首相小泉纯一郎送给带伤获胜的贵乃花的一句话。贵乃花的师父劝他停赛，可他表示就算膝盖废掉也要出场，并最终获胜，给观众带来了极其震撼的感动。

“我喜欢你，迷恋到连自己都觉得莫名其妙。”

这是名作《花样男子》中，喜欢杉菜的道明寺司所说的一句台词。他想传达的内容就是“我喜欢你，迷恋你”，而他又加入了发自内心脱口而出的“连自己都觉得莫名其妙”，使这种迫切难耐的心情表现得更加强烈，从而俘获了全世界“花男粉”的心。

“从没打过像今天这样令人陶醉的比赛。很开心。真的连眼泪都出来了。”

在日本职棒联赛的乐天 VS 巨人的比赛中，率队戏剧性地赢下比赛的星野仙一教练在接受采访时如此说道。他想传达的内容就是“从没打过这样的比赛，很开心”，但无可抑制的感动令上面这句话脱口而出。这一年，乐天赢得了球队成立以来的首个全国冠军。

“梦想不是想出来的，是从心里涌出来的。”

这是传奇就业指导书《绝对内定》的作者杉村太郎所说的话。这句赤裸裸的、热情洋溢的话，打动了众多学生和社会人士的心，至今仍影响着很多考虑“如何工作和生活”的人。

上面这些都是令人热血沸腾的名言。

大家可能以为，正因为说者付出了认真的努力，这些闪闪发光、热情四溢的话才会自然而然地从他们嘴里脱口而出，也只有经历过的人才能说得出来。

但实际上，这些话也是可以通过技巧创造出来的。这种技巧就是**“赤裸裸法”**。只要依照“菜谱”，就能顺利完成。

赤裸裸法是一种观察自己身上发生的事，并诉诸话语的方法。例如：

“好吃得脑中一片空白。”

这样一说，别人就知道你吃了无法形容的美食。这句话并不是在美食入口的一瞬间从天而降的，而是依照“措辞菜谱”做出来的。

本来想传达的内容就是“好吃”，那是怎样变成上面那句话的呢？

下面让我们一起使用赤裸裸法，试着重做一遍。

使用赤裸裸法，要面对自己身体的感觉，然后诉诸话语。吃到特别美味的食物时，你的身体会产生什么感觉？请把感觉直接变成话语。

嘴？ →说不出话

皮肤？ →起鸡皮疙瘩

脑中？ →一片空白

使用上面的哪种都可以。把赤裸裸的感觉写成文字，能形成具有诗人气质的语句。

在“好吃”后面加入这些文字，就能使话语变得生动鲜活。

“好吃得说不出话”

“好吃得起鸡皮疙瘩”

“好吃得脑中一片空白”

下面是赤裸裸法的“措辞菜谱”：

①确定最想传达的内容

②把自己的身体反应赤裸裸地变成话语

③在想传达的内容前加入“赤裸裸词”

其中，**②是赤裸裸法的要点。只要能找到“赤裸裸词”，就相当于完成了九成。**有人指出“赤裸裸词很难找”，我给这些人的建议是：“采取回答问题的形式”是最简单的办法。

请回答以下问题。

例如，你想表达“非常好吃”的时候，身体会作何反应？

【赤裸裸法问题表】

例：“非常好吃”的时候

脸上？ →情不自禁地微笑

喉咙？ →咕噜响

嘴唇？ →舔嘴唇

呼吸？ →瞬间停顿

眼睛？ →想闭上

汗毛？ →全身汗毛直立

皮肤？ →起鸡皮疙瘩

脑中？ →一片空白

手心？ →汗津津的

指尖？ →颤抖

血流？ →变快

只要从这些问题的答案中找到最强烈的赤裸裸词，加入语句中就行了。

赤裸裸法的关键，是使用令人有些难为情的赤裸裸词。做到这一点，就能创造出具有爆发力的语句。

例如，用赤裸裸法写“大章鱼烧”。

①确定最想传达的内容

→假设这里就是**“大”**。

②把自己的身体反应赤裸裸地变成话语

→看见巨大的章鱼烧会作何反应？根据赤裸裸法问题去思考，大概就是：

“睁大眼睛”

“呼吸停顿”

③在想传达的内容前加入赤裸裸词

→加入赤裸裸词，构成完整的句子。

Before：**“大章鱼烧”**

After：**“令人呼吸停顿的大章鱼烧”**

如果哪家店像After的部分这样写，我肯定会进去瞅瞅。

为了掌握“赤裸裸法”这种技巧，请通过下面的实践故事加以体验。

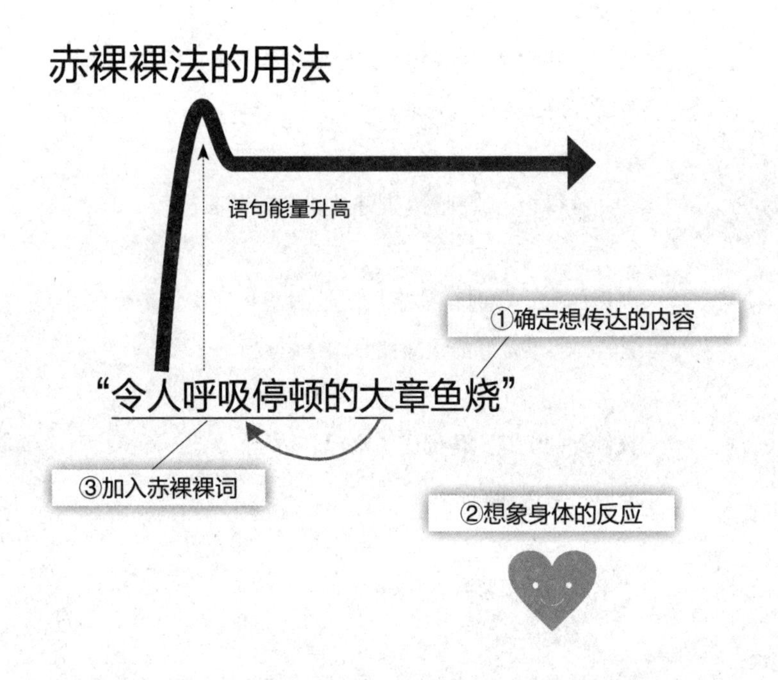

—STORY •“赤裸裸法”实践故事

在就业活动中扭转紧张局面、赢得成功的措辞

高田绘里（化名）在自己所憧憬的公司的最终面试中陷入了危机。

对于一些常见的问题，她按照事先准备做了回答。这时，一位面试官说了这样一句话：

“回答得相当流利啊。是事先准备好的吗？”

高田的脑中顿时一片空白。她的回答确实都是事先针对可能的提问准备好的，却被面试官识破了。

数秒钟的沉默，仿佛成了永远。

然后，高田如此答道：

“不是，我很紧张。”

不仅如此，她还把自己参加面试的想法和紧张赤裸裸地直接说了出来：

“我很紧张。喉咙很干，手心冒汗，还惊讶于自己身上的毛孔竟然这么多！”

面试官脸上露出一些笑容。高田继续说道：

“我以前打工时做过补习班讲师，所以习惯在人前讲话了，但对我而言，这是头一次最终面试。其实，我说话这么大声，也是为了掩盖喉咙的颤抖，但我会努力加油的！”

可以想见，面试官会在面试评价表上写什么样的评价。如果高田当时只说了“我很紧张”，就无法把自己完全展现出来，面试只会流于表面，面试官也了解不到她的特色。

最后，高田成功地得到了该公司的内定名额。

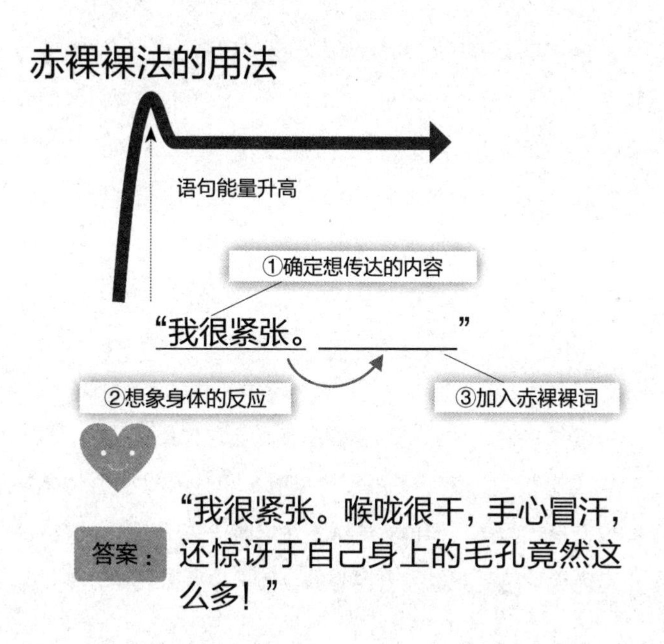

—STORY•“赤裸裸法”实践故事

学生流下了男儿泪！抓住学生心理的老师的措辞

在专科学校当讲师的渡部隆（化名），一直苦恼于不知如何向学生表达自己的心情。面向一年一度的大型演讲的课堂，对学生来说是整理汇总的好机会，所有人都很认真。有些学生所做的演讲非常出色，小出（化名）就是其中一人。一开始，渡部坦率地告诉小出：

“你的演讲很感人。没什么需要修改的地方。”

渡部站在评价者的立场上，已经留意向对方准确传达状况，可是听完评价，小出却问：“真的没有需要修改的地方吗？”渡部不知道怎么说才能让小出明白。到了正式演讲的最后一堂课，渡部改变了措辞。他听完小出更加饱含热情的演讲后，赤裸裸地直接说出了自己的感想：

“我哭了……这样就很好。”

渡部接着还说：“同学们应该也会这样想的。”

小出听完，流下了眼泪。尽管班里还有女生，他觉得哭出来很难为情，但仍然控制不住情绪。之所以如此，或许正是因为他感受到了发自内心的自信。他所需要的，不是了解准确的状况，而是自信。而赤裸裸的话语，在这方面恰恰具备足够的说服力。

赤裸裸法的用法

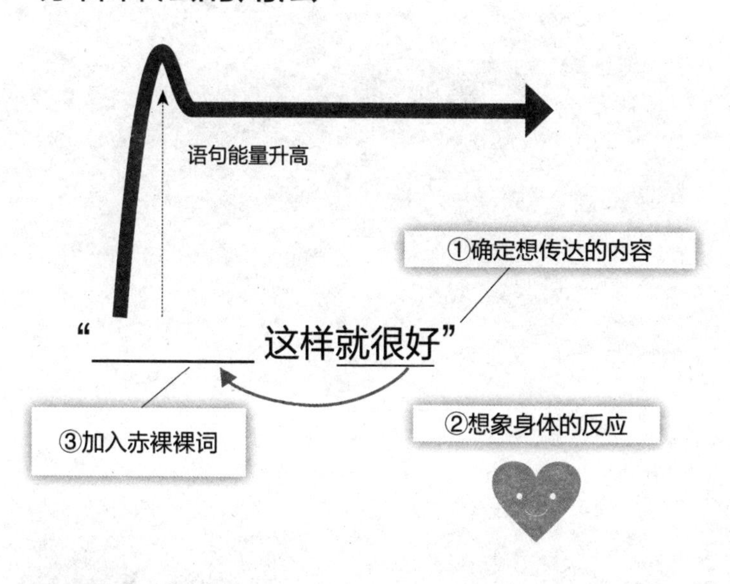

答案：“我哭了……这样就很好。”

令人脸上发烧、难为情的、暴露自我的“措辞菜谱”——“赤裸裸法”

4. 检验你的“措辞拿手度”③

通过一个简单的提问，就能知道你现在的交流方式是否吸引人。请用“有”或“没有”回答。

Q：“最近三个月内，你有没有送过别人花？”

送花就是行为上的赤裸裸法。

也就是说，经常送花的人，是善于交流的人。说到送别人花，一般人可能有些害羞，但只要做到这一点，就能给对方以相应的冲击力。

著名的经营咨询顾问汤姆·彼得斯说过：“花的预算是无限的。”花是有效的交流工具。虽然我们平时没必要从如此战略性的角度考虑，但我通过自身感受也能理解这句话。收到花的人，会产生一种单纯的喜悦，沉淀在记忆里，总有一天会重新浮现出来。比如牵涉到工作，习惯送花的人可能会得到数倍甚至数十倍的回报。

送花很简单，却是让对方了解你的工具。

不要害羞，今天就买束花吧。

技巧 4："重复法"

这是一种非常非常简单的"措辞菜谱"。

一句话重复一遍，就会留在对方的脑海里。只需要重复想传达的重点。短时间内就能完成，而且非常有效，是很有用的"措辞菜谱"。很多年度流行语，还有动画片中令人印象深刻的话，都是按照这个"菜谱"完成的。

"不要着急，不要着急。休息一会儿，休息一会儿。"

这是动画片《聪明的一休》中，一休在片尾躺下来时的口头禅。将"不要着急。休息一会儿"这句话重复一遍，就变得令人印象深刻了。尽管这部动画片距今年代久远，但这句话大家都还记得。

"不行哦，不行不行。"

这是搞笑组合"日本电气联盟"的一个笑料，获得了当年的流行语大奖。这个笑料所蕴含的违背道德的罪恶感，以及与性完全无关的性感，都具有强烈的感染力。不过，仅仅如此还成不了流行语。正因为一个词反复重复，才会很容易让人留在记忆里。仔细想想就会发现，以前的流行语也有很多重复的语句。

“我有一个梦想……我有一个梦想……”

马丁·路德·金一生致力于建立一个与肤色和出身无关的、人人平等的社会。这段话就出自他满怀希望的一场演讲。将“我有一个梦想”加以重复，就成了美国历史上纪念碑般的名言。

“不能逃避，不能逃避，不能逃避。”

这是动画片《新世纪福音战士》的主人公碇真嗣所说的话。他想改变，所以告诉自己“不能逃避”。通过重复，就成了足以烙印在观众记忆中的警句。据说直到今天，该动画片的拥趸们想要逃避工作时，仍会说出这句台词。

“罗密欧啊，罗密欧！为什么你偏偏是罗密欧呢？”

这是《罗密欧与朱丽叶》中十分著名的一幕。两人分别生在敌对家族，却爱上了彼此。单单因为姓名，这段恋情就不被允许。因此，朱丽叶就说出了上面这段话。正是这种渲染氛围的重复性词语，表达了主人公内心的悲伤情绪，更能引起读者共鸣。

“科马内奇！科马内奇！”

体操比赛金牌得主科马内奇选手所穿的高叉体操服，在当时的日本引起了巨大的轰动。北野武用手部动作模仿她的穿着时，说出了上面这句话。反复叫名字更能引人发笑，使得北野武的搞笑模仿比科马内奇本人的穿着更广为人知。

上面这些无一不是名言。

其中既有伟人的名言，也有动画片的台词，还有艺人的笑料。其共通之处在于，它们无一不是容易模仿、便于在电视节目或恶搞时使用的语句。

重复的语句，不仅容易留在人的记忆中，而且会令人产生模仿的欲望。这种“措辞菜谱”非常简单，但效果出众。作为广告文案撰稿人，我曾受理过来自运动员的咨询：

“面对采访，怎样才能说出给人留下深刻印象的话呢？”

我首先就向他介绍了重复法。因为这种技巧很简单，在当天赛后的专访中就能使用。

为什么重复会如此令人印象深刻呢？

请想想自己背诵时的情况。一般都会多次重复，或念出声，或写出来，对吧？这里也是一样。经过重复，就容易留在记忆里。而且，同一句话在重复时，发声的唇齿感觉也很好，就像音乐的韵律一样。

“科马内奇！”

其实只喊一遍的效果就挺强烈，但光是这样可成不了北野武的代表性笑料。

“科马内奇！科马内奇！科马内奇！”

像这样重复（我现在边写边笑……），效果更强烈，特别搞笑。这简直就是通过重复增强效果的典范。

心理学上的“纯粹接触效应”——“光靠增加接触次数就能提升好感度”——已被实验证实。选举时期，会有选举车用喇叭反复播放参选者的名字。有人认为“与其喊名字，不如多谈谈如何施策”，但根据现今的选举制度，重复名字对于实现当选这个目的是很有效的。选民们最终去选举会场时，几乎不可能为自己毫无印象的人投票。光是有印象这一点，就能提高为其投票的可能性，所以参选者才会使用重复法，让自己的名字留在选民的记忆里。

下面介绍重复法的“措辞菜谱”。

①确定想传达的内容
②重复

仅此而已。真的非常简单。

例如，用重复法写“大章鱼烧”。

①确定想传达的内容
→假设这里就是“**大**”。

②重复
→变成“**大的、大的**”。
还可以略做整理，比如变成“**大的、很大的**”。

Before：“**大章鱼烧**”
After：“**很大、很大的章鱼烧**”
虽然简单，但 After 的部分显然效果更强。

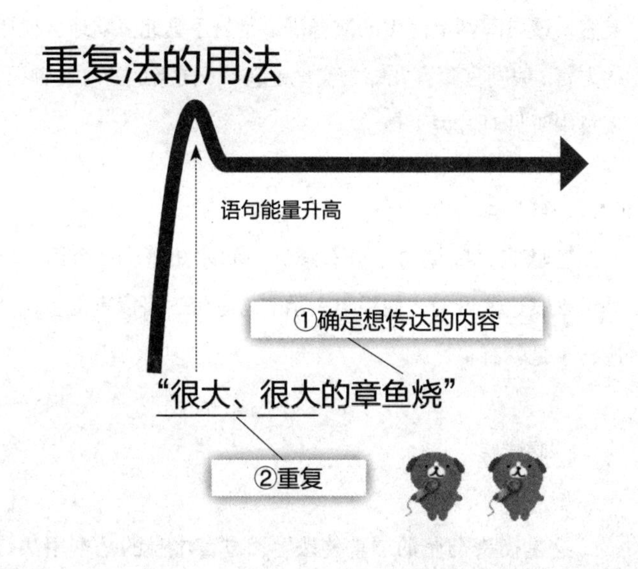

为了掌握这种“重复法”的技巧，请通过下面的实践故事加以体验。

STORY•“重复法”实践故事

为无精打采的日本人送上笑容的 NHK 电视剧的著名台词

有哪个日本人不知道“小海女”吗？

与其说它是国民级现象，不如说是日本文化。这部每天早晨播放十五分钟的电视剧，为无精打采的日本人送上了笑容。该晨间剧里诞生的流行语，是岩手县北三陆地区使用的方言。编剧宫藤官九郎去实地走访时，同当地的海女聊天，无意中听见对方说了声：

“嗟”

宫藤官九郎觉得十分有趣，一问才知道，这个语气词是用来表达惊讶的。如果想表示非常吃惊，可以重复多说几遍，于是就有了：

“嗟嗟嗟”

这是彻头彻尾的“重复法”。方言本身的基本用法是“嗟”，通过重复，就成了流行语。宫藤大概也是有意为之，在电视剧里经常使用三连发。可爱的女孩子用听起来有些粗鲁的浊音重复起来，极具冲击力。

创造了这句流行语的电视剧《小海女》，全剧平均收视率高达20.6%，每五个日本人里就有一人收看，成了这个时代令人大呼“嗟嗟嗟”的节目。

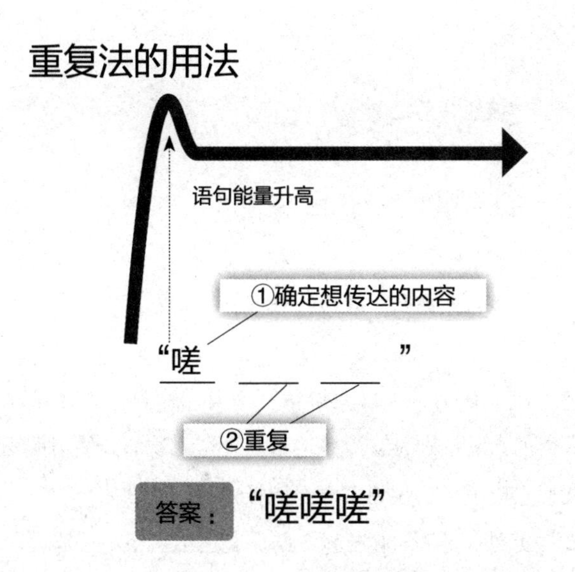

STORY•“重复法”实践故事

听一遍就上瘾的吉卜力音乐的秘密

据说很多人听吉卜力电影的音乐，都会感到“心灵仿佛受到了洗礼”“不禁回想起儿时”。

的确，电影呈现的世界加上吉卜力的音乐，让观众深深地沉浸其中。《悬崖上的金鱼公主》上映后，全日本都被片中的那首歌洗脑了。我当时也会边走边下意识地哼唱：“波妞，波妞，波妞”。这支音乐里藏着秘密，它是按照令人上瘾的音乐制法完成的。例如刚才提到的副歌部分，从含义上来说，就是在介绍名字：

“波妞，鱼之子”

但实际唱出来的时候，就使用了“重复法”，变成：

“波妞，波妞，波妞，鱼之子”

重复以后，不仅变得富有节奏，而且令人印象深刻。人类的大脑特别喜欢简单地重复。在副歌部分使用重复法，就使它成了从小孩到大人都能轻松哼唱的歌曲。

此外，《邻居托托罗》的重复也给人留下了深刻印象。我一说，大家应该就能立刻想起来。

“邻居托托罗，托托罗托托罗，托托罗”

你看，很容易就能记住。

重复法的用法

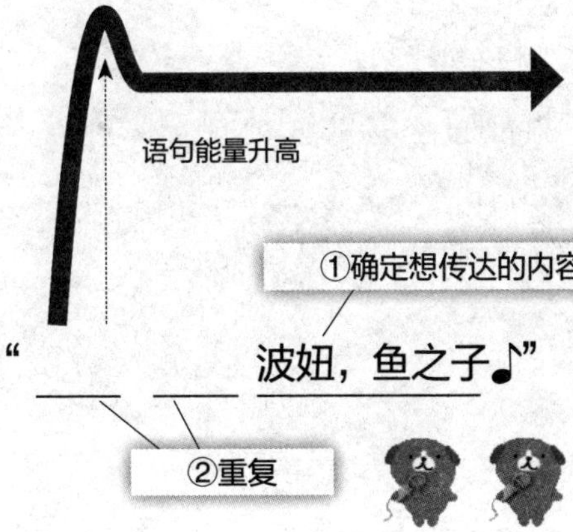

语句能量升高

①确定想传达的内容

“______ ______ 波妞，鱼之子♪”

②重复

答案：“波妞，波妞，波妞，鱼之子♪”

非常非常简单就能完成、令人记忆深刻的“措辞菜谱”——“重复法”

技巧 5：“高潮法”

这个格外重要，请不要忘记。

人们读书时看到句子中的“——”或“……”，就会想：“接下来会说什么呢？”**这就是“高潮法”**。这种技巧能让读者产生仔细阅读的欲望。

“这里测验会考到——三角形的面积是”

这是学校老师的撒手锏。光说“三角形的面积是”，学生不会关注，但以这样的形式开头，教室里的所有学生都会齐刷刷地看向黑板。

“我必须守护的人终于出现了……那就是你。”

这是电影《哈尔的移动城堡》中主人公哈尔的台词。那是一个魔法与科学共存的世界，一直在逃避战争的哈尔出战之前，对女主人公苏菲如此说道。顺带一提，为哈尔配音的是木村拓哉。听到这句话，没有哪个女人会不动心吧？

“只有两种选择——要么拼命去活，要么拼命去死。”

电影《肖申克的救赎》，讲述了蒙冤入狱的安迪没有

放弃希望，坚信自己能够等来重获自由的那一天。这是他的狱友瑞德的一句著名台词。这句强有力的名言，同时用到了高潮法和反差法。

“我就直截了当地回答吧——抛弃金钱和名誉，剩下的就是生命。”

这是冈本太郎在讨论人生时所说的话。听见“我就直截了当地回答吧”，观众就想仔细听他接下来要说什么。如果这里没有加入高潮词，就算说出再了不起的警句，听者可能也会左耳朵进右耳朵出。

“有个问题……我想问一下。”

这是刑侦剧《相棒》的主角杉下右京的口头禅。他有着超出常人的推理能力，总是以普通人注意不到的细节作为突破口，解决案件。当搜查陷入僵局时，故事就是从这句话开始展开的。

上面这些名言无一不是出现在最高潮的时候。

这并非偶然。**“高潮法”正是在最关键时刻使用的技巧。**使用高潮法，**能让对方觉得“接下来的话很重要，必须仔细听！”从而集中注意力。**

这个高潮法，其实就和新年倒计时的“3、2、1”一样。听见倒计时，很难不去关注。人都不想错过事件发生的那个瞬间。高潮法就利用了人类的这种本能。

想传达重要的事情时，想得到别人的关注时，可以使用这个“措辞菜谱”，它能让对方关注你最希望其关注的地方。

高潮法也是一种非常简单的技巧。只要知道高潮词，就能随时使用。

只在这里说

【高潮词表】

“请保密”

“这里测验会考到”

“能听见这个是你走运”

“只在这里说”

“接下来禁止拍照”

“只说一遍”

“关键有两点”

“在其他场合不会透露”

“只告诉你一个人”

“我要告白了”

除此之外，只要是含有“接下来要说重要的事”这种信息的话，都是用到了高潮法。

下面介绍高潮法的“措辞菜谱”。

①不突然说出“想传达的内容”

②从高潮词开始

至于高潮词，直接使用上表中所列的短句即可。非常简单吧？

例如，用高潮法写“大章鱼烧”。

①不突然说出“想传达的内容”

→不要直接说出来。

②从高潮词开始

→例如，可以加入**“接下来禁止拍照”**。

也可以使用其他高潮词，但要选择便于连接前后句的词。

Before：**“大章鱼烧”**

After：**“接下来禁止拍照的……大章鱼烧”**

哪种更能给人留下深刻印象，一目了然。

为了掌握“高潮法”这种技巧，请通过下面的实践故事加以体验。

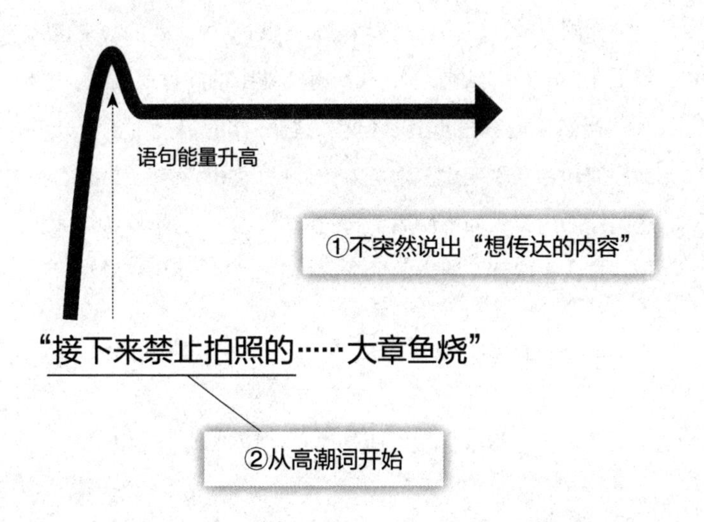

STORY•“高潮法”实践故事

让听众一起看向前方的演讲“咒语”

大家知道哪个时间段的演讲最难吗?

答案是用完午餐一小时后开始的演讲。听众刚吃完饭，所以坐在座位上很容易睡着。

我大概每周做一次演讲，难得的是，听众大多觉得“九十分钟如同一瞬”，而在乐天主办的研讨会中，我的演讲也得到了 4.7 分（5 分满分），在所有活动中的满意度最高。

当然，内容很重要，但在内容一样的情况下，听众的满意度却会发生变化。这是为什么呢？原因就在于措辞。传达同样的内容，如果使用不同的措辞，给人的印象就会大相径庭。我每次到了演讲的后半段，都会注意使用高潮法。

“请看例题。”

我不会直接这样说，而是说：

“光听下面这部分，大家就没白来……请看例题。”

这样一说，大家就会齐刷刷地看向我，甚至把我也吓一跳。就算对方有些疲惫，使用高潮法也能重新调动起对方的注意力。

高潮法的用法

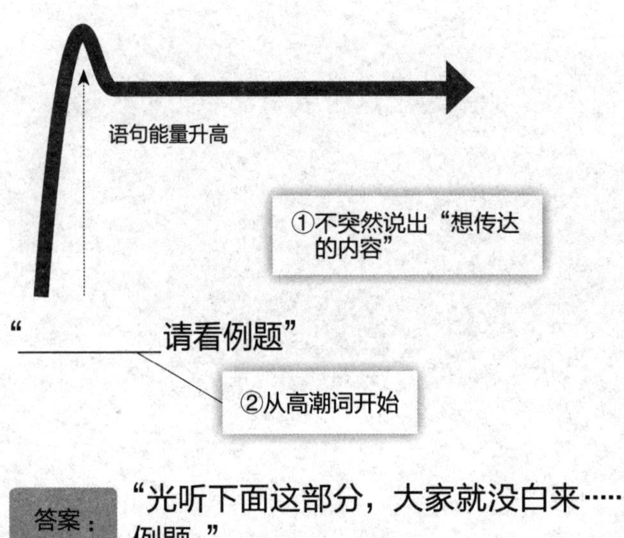

答案：“光听下面这部分，大家就没白来……请看例题。”

唯独不要忘记这个吸引注意力的“措辞菜谱”——“高潮法”

只在这里说

5. 首次公开 3 个新技巧！创造“警句”的技巧

《别让成功卡在说话上》介绍了5种创造“警句”的技巧。在这本《所谓情商高，就是会说话》中，将在此基础上追加3种新技巧。

这些“措辞菜谱”对任何人来说都很实用，效果显著。只要按照“菜谱”去做，任何人都能轻松达到专业水准。

技巧 6：“数字法”

这是超过 95% 的人都不知道的“措辞菜谱”。

光是在语句中加入“数字”，就能增强说服力。尤其是在商品名称或介绍中加入数字，不仅在视觉上较为醒目，也会使内容变得容易理解。

“一颗 300 米”

这是格力高公司的奶糖宣传语。意思是说，一颗奶糖所含的能量能支持一个人跑 300 米。其目的本是宣传“一颗奶糖就含有大量营养”，而通过变成数字，使说服力和冲击力都更强了。

《措辞占9成》（译者注：《别让成功卡在说话上》的日文原书名直译）

这个标题其实是“措辞很重要”的另一种说法，只是把“重要”换成了“9成”。当然，内容非常重要，但读者会把精力用在“了解”内容上，而不会关注“如何传达”内容。这个带数字的标题，就是在告诉读者要重视措辞。

《银河铁道999》

这是日本漫画中名垂史册的代表作之一。其故事情节之出色自不用说，连这个标题都充满了魅力。如果没有“999”，而是换成其他名字会怎样？比如《银河铁道隼》……恐怕就不会成为名留史册的漫画了。

“101只斑点狗”

迪士尼制作的动画片。如果标题变成“很多只斑点狗”，恐怕根本就不会被拍成电影了。“101只”这个数字增强了语句的效果，这是应用“数字法”的一个经典案例。

“3分钟烹饪”

如果标题变成“短时间烹饪”，就算内容一样，也成不了热门节目。虽然指的都是短时间，但使用“3 分钟”这个数字，就能引起观众的兴趣。

上面这些例子都使用了“数字法”。

光是在语句中加入数字，就能在很大程度上吸引目光。而且，如果出现具体的数字，还特别便于理解。比起汉字或假名，数字传达信息的速度更快。

此外，大家有没有在数字中发现什么？没错，奇数非常多。

不是“6 个习惯”，而是“7 个习惯”。

不是“100 只斑点狗”，而是“101 只斑点狗”。

单纯从语言效果的角度来看，2、4、6、8、10 等偶数显得比较柔和，所以弱；1、3、5、7、9 等奇数则显得有棱角，所以强。

请大家想想有哪些带数字的著名名称。如“七大奇迹”“七道具”“三支箭”“五连者”等，奇数应该是占绝大多数的。下面介绍数字法的“措辞菜谱”，分为两个步骤：

①确定想传达的内容

②用合适的数字置换

例如，用数字法写“大章鱼烧”。

①确定想传达的内容
→假设这里就是“大”。

②用合适的数字置换
→把“大”换成“3 倍大”。

这里的数字可以是：

300%/3 倍 /300g

只要合适，用哪个都可以。我使用数字时，习惯用阿拉伯数字“3”，很少用汉字“三”，因为阿拉伯数字一眼看见，大脑就能立刻反应过来。

Before：“大章鱼烧”
After：“3 倍大的大章鱼烧”

显然后者更有冲击力。

下面请通过实践故事来体验“数字法”。

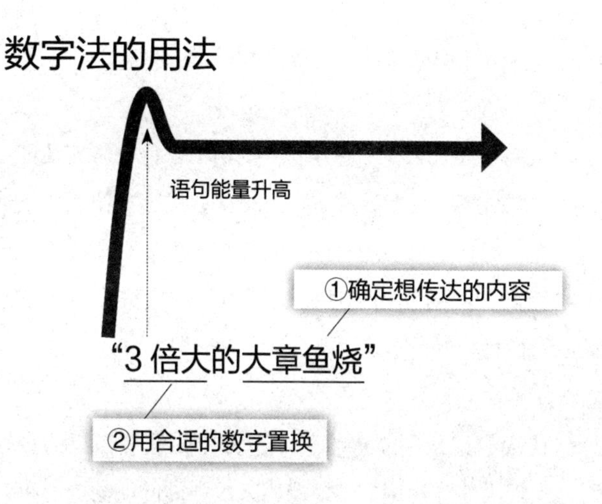

STORY ·“数字法”实践故事

措辞也是 1% 的灵感加上 99% 的努力!?

说到发明大王托马斯·爱迪生的名言……

大家都知道吧？

关于那句名言的含义，尽管有各种说法，爱迪生大概还是想说“努力很重要”吧。他想传达的内容是：

“天才就是很少的灵感加上很大的努力”

这句话已经使用了加入反义词的“反差法”，可以称为警句了，但爱迪生实际说出的话更吸引人：

“天才就是1%的灵感加上99%的努力”

这句话还加入了“数字法”。请大家比较两句话的“醒目度”。显然，后者的理解速度更快，更容易使大脑迅速做出反应。而且，数字还有助于提高理解度。

因此，同时使用“反差法”和“数字法”，使得这句话成了举世皆知的名言。

请大家记住，灵感的“1%”并不是测量得出的数据，而是表现手法。运用数字，能给人以强烈的印象。所以，关键就是先用数字，再下断言。

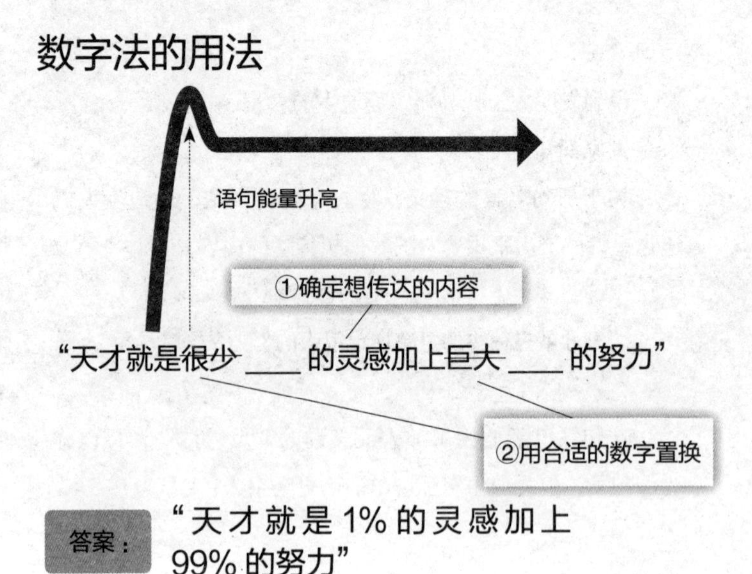

95% 的人不知道的、通过使用数字来增强说服力的“措辞菜谱”——“数字法”

技巧7："合体法"

用一句话来形容合体法，就是：

"潮流发明器"

想想世间的现象级事物就会发现，很多名称都是由两个单词组合构成的。**世上的新事物，绝大多数都是由"两个事物组合"而成的。**明白了这一点，我们再来看下面的例子。

"妖怪手表"

造成巨大轰动的游戏。得到"妖怪手表"的主人公拥有了不可思议的力量，游戏就是从这里开始的。"妖怪"和"手表"本身都是很普通的词，但将这两个向来无关的词合体，就创造出了新的名称。

"懒散吉祥物"

日本全国本来就有许多形象懒洋洋的吉祥物，三浦纯给它们起了这个统一的名称以后，吉祥物集团开始受到关注，进而风靡全国。除了合体词中的"懒散"，还有"无力""泄气""柔软""温和"等词作为候选，而"懒散"显然要高出数筹。

“可尔必思水”

大概已经很少有人直接喝可尔必思的原液了。在“可尔必思”中掺入“水”后，作为商品销售，甫一推出便大受欢迎。我第一次喝的时候，觉得“好浓”，可能家里以前的饮料兑水多了些。

“清凉商务”

指让夏天也能舒适度过的服装。这个词的出现，目的性很强。表示凉爽、帅气的“清凉”，与表示生意、商业的“商务”合体，打破了企业文化中“轻装等于失礼”的概念，从此成了固定下来的新概念。

“壁咚”

指男性将女性逼至墙边，“咚”地把手撑到墙上的行为。据说被“壁咚”的女性会瞬间怦然心动。如果直接说成“‘咚’地击打在墙上的行为”，就不会流传得如此之广了。

“儿童店长”

在丰田汽车电视广告系列中登场的角色。由加藤清史郎扮演的店长，用儿童口吻的比喻解释了减税等活动政策。“儿童”和“店长”的组合，既是用到反义词的“反差法”，又是“合体法”，可说是非常巧妙的命名。

上面这些独具特色的词，无一不是由两个普通的词合体而成的。

“妖怪”和**“手表”**，各自都是普通的词。

↓

“妖怪手表”，就成了流行词。

“懒散”和**“吉祥物”**，各自都是普通的词。

↓

“懒散吉祥物”，就成了流行词。

明白了这一事实，就能将其用作“措辞菜谱”了。**想创造流行词的时候，不知道如何命名的时候，这个“合体法”就能发挥作用。**

下面介绍“菜谱”，分为三个步骤：

①选择主要核心词

②准备大量用于替换次要核心词的同义候选词

③组合

例如，用合体法写“大章鱼烧”。

①选择主要核心词

→这里的商品是章鱼烧，所以主要核心词就是**“章鱼烧”**。

②为次要核心词准备大量候选词

→次要核心词是**“大”**，同义候选词有**“巨大”“大口”“棒球”“重量级”“男人的”**。

③组合

→尝试分别组合。

“巨大章鱼烧”

“大口章鱼烧”

“棒球章鱼烧”

“重量级章鱼烧”

“男人的章鱼烧”

其中，“棒球章鱼烧”和“重量级章鱼烧”似乎是前所未见的组合，这样造出的词能给人留下非常深刻的印象。

Before：**“大章鱼烧”**

After：**“棒球章鱼烧”**

如果我看见卖章鱼烧的店里写着“棒球章鱼烧”，肯定会忍不住进去尝尝。

这种“合体法”常用于“新商品的命名”和“企图引领潮流的现象名”。不知道的东西当然也做不到，而只要知道了“措辞菜谱”，你也能轻松做到。

如果在尝试过程中找不到灵感，请为次要核心词准备更多的同义候选词，肯定能遇见合适的词。

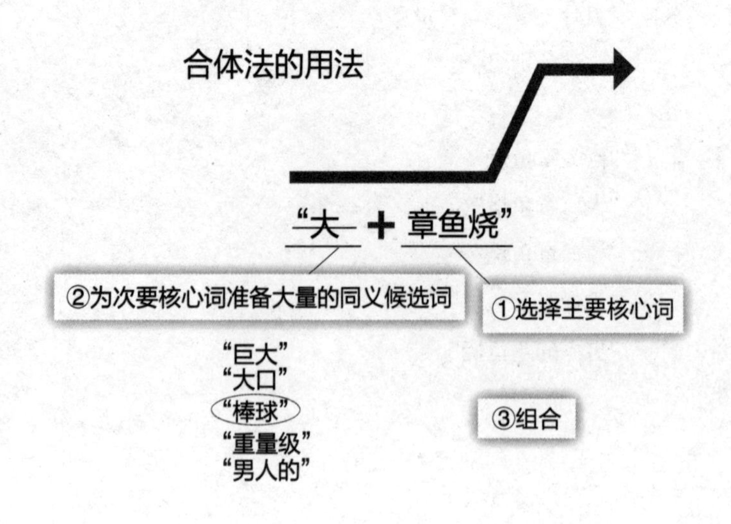

下面请通过实践故事来体验“合体法”。

STORY•“合体法”实践故事

为“消极恋爱的男子”命名的流行语

以前，男性想同女性交往，一般都会主动追求、告白。然而，自从日本经济不景气以来，很多男性对恋爱再没有那么积极了。

“消极的男子”

“晚熟的男子”

这是对他们的形容。不过，这种情况一下子成为举世关注的现象，是从合体法创造出下面这个词才开始的：

“草食男子”

这个词简直就像是擅长阅读时代的天才创造出来的。不过，就算不是天才，其实也能创造出来。因为男性是主题，所以主要核心词是“男子”，次要核心词是“消极的”，再把它的同义候选词写出来：

“保守”

“温顺”

“草食”

“客气”

……

只要从中选择以前没见过的、语感好的词就行了。

对于流行语，我们当然也可以选择旁观，但掌握了“合体法”，你就能自己创造流行语。从今天起，请做个“肉食男子”或“肉食女子”吧。

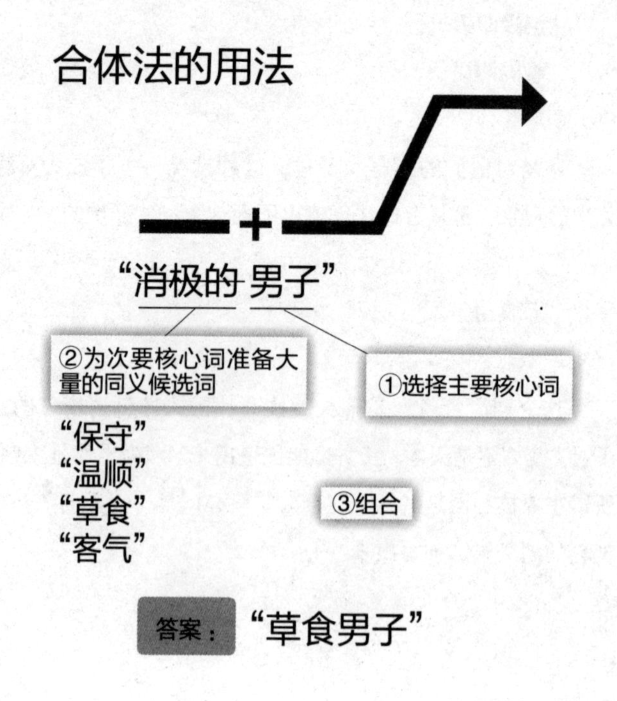

—STORY•“合体法”实践故事

果断说出难言之事的流行语

“婚活”早已成了普通名词。该词是由“结婚”和“活动”合体而成的，其语源是由“就业”和“活动”组成的“就活”。“婚活”的意思是指寻找结婚对象、锻炼厨艺等活动。

“正在寻找结婚对象”

这是以前常用的说法。这样说会令人产生沉重感，反而难以促成约会。现在都像下面这样说：

“正在进行婚活”

这种说法更痛快。正在进行“活动”，就像在工作中进行项目一样，没有暗含的沉重感。寻找结婚对象是人生中的一件大事，而这样的说法能产生一种轻快感，帮助你顺利渡过眼前的难关。

多亏了这个词，人们在寻找结婚对象时不再羞于说出口了，也由此掀起了婚活热潮。有关婚活的文字在杂志和网络上随处可见。

流行的东西肯定离不开文字。例如，使用“活”的流

行现象，就有为妊娠进行活动的“妊活”、为送孩子进保育园而进行活动的“保活”、早起进行学习或兴趣爱好等活动的“朝活”。

这里的关键，还是选择前所未见的单词。使用“活”的合体法，可以现学现用。

说不定你就能创造出下一个流行语。

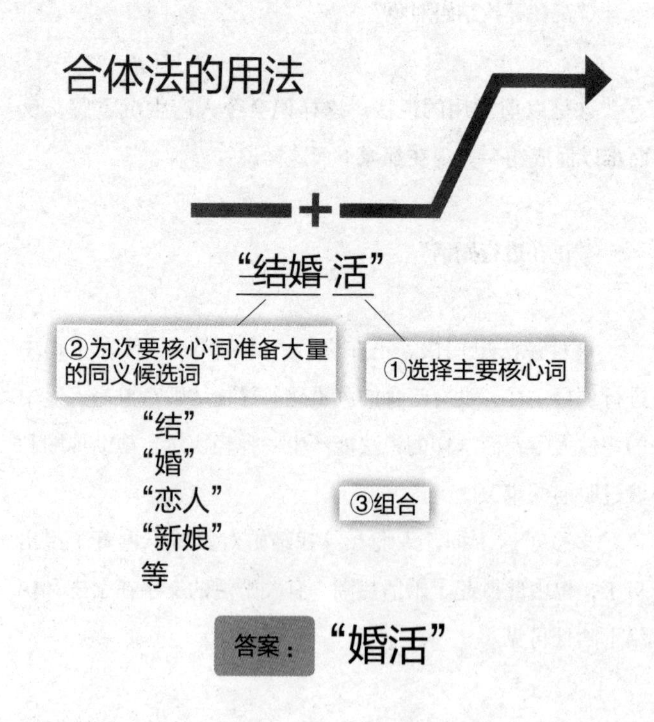

可用“潮流发明器”来形容的、创造流行语的“措辞菜谱”——“合体法”

技巧 8：“顶点法”

商店货架上最常用的技巧。

超市里如果写着“销量 No.1”，就算是不感兴趣的商品，也会想去瞅瞅。这个“措辞菜谱”就是向对方传达：这个相比其他的是“最好”的。

人都爱比较，而且某个东西是最好的，会成为喜欢的理由。例如，大家知道日本最高的山是哪座山吗？当然是“富士山”。那第二高的山呢？恐怕很多人都不知道吧。是“北岳”。不知道吧？也就是说，**人们会对位于顶点的东西产生强烈的兴趣**，对于第二乃至其下的东西则不会。

“第一榨”

这是麒麟啤酒公司最畅销的一种啤酒。该命名的成功之处，在于加入了“第一”这个词。其实从本意上讲，这里的“第一”并不是指最出色，而是指“使用榨出的第一道麦汁酿造”。不过，在店里标出“第一”的这种包装手段，还是取得了很好的效果。

“点心的本垒打之王”

这是龟屋万年堂的纳沃纳点心的电视广告所使用的短

语，出自当时的本垒打之王王贞治选手之口。这句话虽然没说这是“最好吃的点心”“最畅销的点心”，但看起来就是这个意思。“××王”这种顶点法用起来非常方便。

“TOP”

这是一个历史悠久的著名洗涤剂品牌，深受日本人的喜爱。很多人在店里不知道该买哪种洗涤剂时，由于无法当场试用，就觉得这个牌子的洗涤剂应该是效果最好的，可见这个命名是成功的。

“全区No.1”

这是电器店等商店的广告单上所写的话。其中有很多值得学习的地方。像“全国第一”“打遍日本无敌手”这样的话，一般没人敢说。在这种情况下，可以说在某个范围内是No.1。这就足以形成强烈的效果了。

“店长推荐”

有的店可能连“全区No.1”都称不上，但任何一家店都能说“店长推荐”。这是在店里说动顾客的用语之一。这个短语既可以用来指真正推荐的商品，也可以用在特别想卖出去的商品上。

“销量 No. 1”

无论是啤酒还是发泡酒的电视广告，都一直在说这句话。这是有原因的。无论如何，No.1 的说法都对销量有帮助。当然，从法律角度来说，如果销量不是第一，是不能使用“销量 No.1”的，而各家公司为了争取使用这个宣传语的资格，每天都在努力。

由上可见，让顾客感受到某个商品在业内位于顶点，就能说动顾客。

“顶点法”有两种方法。

1. “真实顶点法”

例如，像“全区 No.1”“店长推荐”那样，向顾客真实地传达商品位于某个顶点。这种方法的关键，是要考虑截取怎样的范围才能让商品居于顶点。比如下面这样：

世界第一>东亚第一>日本第一>全县第一>全市第一>全区第一>对你个人来说是第一

其中肯定有个合适的位置。在条件允许的前提下，应尽量选择最大的范围。

2. "表现顶点法"

还可以像"第一榨""点心的本垒打之王"那样，从表现手法的角度，创造某个词语，让顾客觉得这个商品是最好的。如果不是最畅销的，就不能自称"最畅销"，但可以通过表现手法，让顾客觉得是最畅销的。

下面介绍顶点法的"措辞菜谱"。

①确定想传达的内容
②加入合适的顶点词

顶点法的关键，是如何才能扩大可称为第一的范围。范围越大，效果越好。

例如，用顶点法写"大章鱼烧"。

①确定想传达的内容
→假设这里就是**"大"**。

②加入合适的顶点词
→如果不能说**"日本第一"**或**"全县第一"**，可以加入

“原宿第一”。

Before：“大章鱼烧”

After：“原宿第一大章鱼烧”

假如你走在原宿街头，看见“原宿第一”的字样，大概就会想买吧。

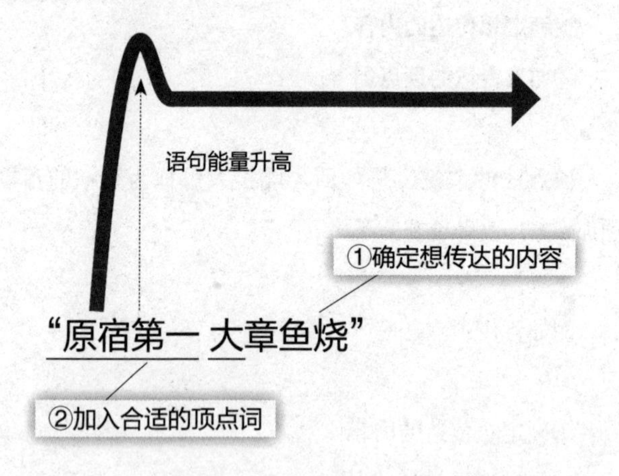

下面请大家通过实践故事来体验“顶点法”。

STORY•“顶点法”实践故事

始终保持高收视率的节目标题的秘密

人气节目《全世界最想上的课》始终保持着高收视率。

节目中会有各领域的专家登场，收看过程很愉快，又能了解到大量信息，所以我很喜欢。从节目内容的角度来说，意思其实就是：

“非常想上的课”

可是，如果像这样命名，还能在长达十年的时间里始终保持这样高的收视率吗？

“全世界最想上的课”

这个标题才够出众。

这里就使用了“顶点法”。该节目曾请来诺贝尔奖获得者，以及日本乃至全世界的名人担任讲师，其内容之有趣，称为“全世界最”也不奇怪，但正是因为“全世界最想上的课”这一标题，才使得它在电视节目栏里脱颖而出，造成轰动。

节目制作者也是抱着把节目做成世界第一的态度，所以这个标题更有助于提高节目质量，从而进入良性循环。

顶点法的用法

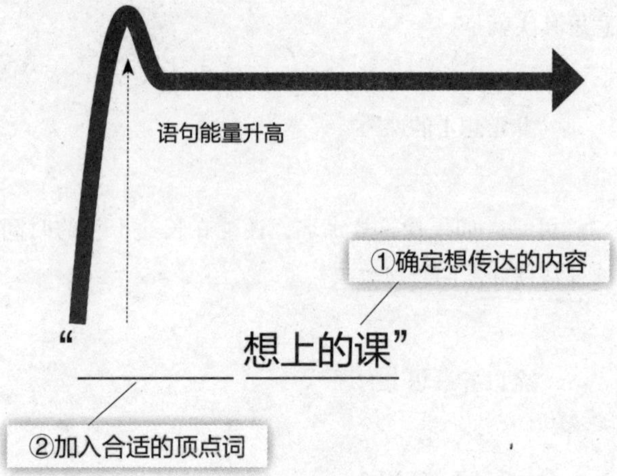

语句能量升高

①确定想传达的内容

“______想上的课”

②加入合适的顶点词

答案：“全世界最想上的课”

商店货架上最常用的、制造购买动机的“措辞菜谱”——“顶点法”

第二章 总结

①瞬间即可完成的“措辞菜谱”——“惊奇法”

②即使忘记其他“措辞菜谱”，也要记住这个能创造名言的“措辞菜谱”——“反差法”

③令人脸上发烧、难为情的、暴露自我的“措辞菜谱”——“赤裸裸法”

④非常非常简单就能完成、令人记忆深刻的“措辞菜谱”——“重复法”

⑤唯独不要忘记这个吸引注意力的“措辞菜谱”——“高潮法”

⑥ 95% 的人不知道的、通过使用数字来增强说服力的“措辞菜谱”——“数字法”

⑦可用“潮流发明器”来形容的、创造流行语的“措辞菜谱”——“合体法”

⑧商店货架上最常用的、制造购买动机的“措辞菜谱”——“顶点法”

6. 实况转播 2：“别让成功卡在说话上 · 演讲”

创造“警句”的技巧

欢迎大家再次来到“别让成功卡在说话上 · 演讲”的会场。

下面尝试实际使用创造“警句”的技巧。

我准备的都是能直接使用的题材。

只要依照“菜谱”去做，很容易就能完成。

下面请看课题。

实例 1：用重复法写“生日快乐”

假如你要给过生日的朋友发短信。

请使用有冲击力的措辞。

有时，朋友或工作上的熟人过生日，我们得用几句话写一条祝福短信。

由于工作忙，所以不想花太多时间，但又想写一条能打动对方的短信。

请考虑使用重复法。

好，开始！

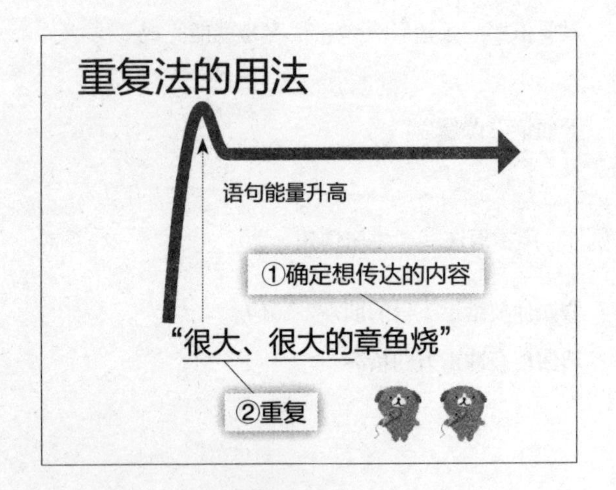

下面开始发言。有请井上。

井上：“是。我是直接**像①这样**写的。可以吗？”

①

生日

快乐！

快乐！

快乐！

重复法

可以！可以！

这正是重复法。

虽然简单，但很有效。

比起简单的“生日快乐！”，“生日快乐！快乐！快乐！”的说法更能表达祝福的心意。

也能显出你对对方的重视。

还有其他人吗？好，前田。

前田：“是。我稍微整理了一下。**像②这样**可以吗？”

②

赞！赞！赞！

Happy Birthday！

重复法

可以！可以！

大家也应该逐渐做到像这样重新整理一下。

你为什么要重复“赞！”呢？

前田：“我有时就想，要是 Facebook 上允许多次点赞就好了。”

原来如此。很高明。

通过对 Facebook 上常见的“赞！”加以重复，就成了能在众多祝福短信中脱颖而出的佳作。

只要事先知道“通过重复能创造警句”，就能轻易做到这一点，但如果不知道，那就有些难度了。

基于既有的词语使用“重复法”，是轻松创造警句的窍门。

谢谢。

顺带一提，我是**像③这样**写的。

③

生日

快乐！

真的祝你快乐！

重复法

通过重复，能把自己衷心祝福的心意传达给对方。既可以连续重复“快乐”，也可以像我这样，加入其他元素。

想在忙碌的每一天里，只用很短的时间给重要的人发短信时，重复法就能发挥作用。

下面说说这个课题的要点。

生日祝福短信，是每年都要写很多次的。

就算自己是真心祝福对方，但如果和别人一样，只写“生日快乐！”是不会给对方留下任何印象的。

使用“重复法”写成的短信，尽管只用很短的时间，却能在对方心里留下深深的印象。

通过重复，
能够灌注感情，
留在对方的记忆里。

接下来看下一个课题。

实例 2：用反差法写“在创造大家的幸福”

请使用令人印象深刻的措辞，
向别人说明你现在实际从事的工作。

向新员工或家人解释工作内容的时候，
就可以使用这个“措辞菜谱”。

请在“大家的幸福”前面，加入与之含义相反的“工作的平凡部分”。

任何工作都有两面性，既有光鲜亮丽的一面，也有平凡辛苦的一面。

例如面包店，既可以说是“正在磨小麦粉”，也可以说是“在创造大家的幸福”。

例如汽车厂商，既可以说是“正在制造车身”，也可以说是“在创造大家的幸福”。

请大家以自己的工作为题材，使用反差法创造警句。

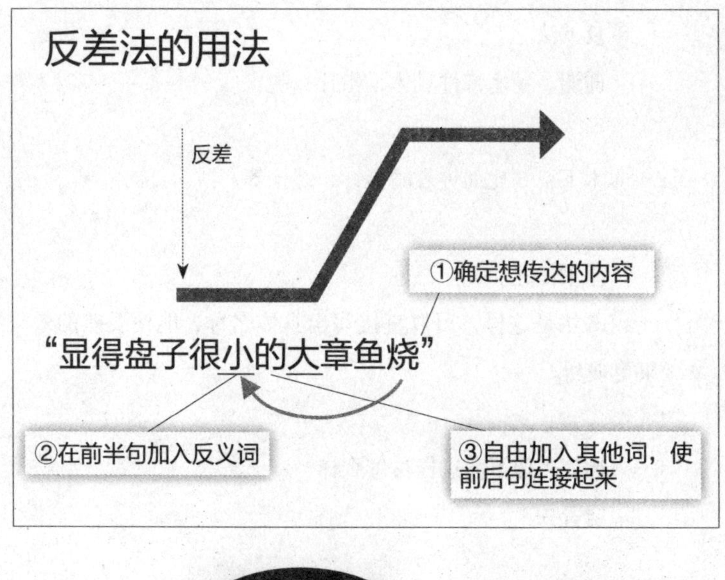

请以此作为参考

好，开始！

下面开始发言。有请木下。

木下：“是。我在生产精密部件的公司工作，所以就像④这样写了。”

④

我不是在制造精密部件，而是在创造大家的幸福。

反差法

谢谢。精密部件具体是指什么呢？

木下：“比如钟表的指针、螺栓等。”

原来如此。

既然是这样，可以直接写出具体名称，能使反差的效果更强烈。

比如，像下面这样写怎么样？

请看⑤。

⑤

我不是在制造螺丝，而是在创造大家的幸福。

反差法

木下:“哇！真的。看起来像是史蒂夫·乔布斯说的话！”

没错（笑）。

关键就在于反差的程度。

相对于“大家的幸福”这样的美好事物，请尽量寻找工作中的“平凡部分”。

其他人呢?

好，船津。

船津：“我出于主妇的立场，是**像⑥这样**写的。”

⑥

我不是在做饭，而是在创造家人的幸福。

反差法

喔喔喔！非常好。非常好。

这句话能让大家注意到每天准备饭菜的主妇的价值。

100 分。

我认为，这句话很有意义，能给众多主妇带来干劲。

绝对是名言。非常棒。

关于这个课题，我是这样写的。**请看⑦。**

⑦

我不是在创造语句，而是在创造大家的幸福。

反差法

因为我是广告文案撰稿人，所以用“反差法”来写就是这样子了。

写完一看，就觉得自己在从事一项很了不起的工作。

任何工作，靠近了看都是平凡而辛苦的。

但同时，又肯定在创造某些人的幸福。

请务必创造并坚持属于你自己的版本。

面对新员工的时候，面对家人的时候，面对企划演示的时候……

肯定会有用到的那一天。

下面说说要点。

大家都已尝试过用“反差法”创造名言，没想到这么简单吧？

就算是像史蒂夫·乔布斯或美国总统奥巴马所说的那些感人的话，你们也是可以创造出来的。

“反差法”只要抓住窍门，立刻就能创造出名言。

这是一种非常强力的“措辞菜谱”，已经创造出数不胜数的名言，所以请务必掌握。

只要制造反差，
就能诞生名言。
能使同样的内容，
变得直沁人心。

接下来是最后一课。

实例 3：用顶点法写“烤鸡肉串很好吃”

你昨天被上司带去了一家烤鸡肉串店。

今天要给上司发一条表示感谢的短信。

请用顶点法表达烤鸡肉串很好吃。

上司难得请你吃了顿烤鸡肉串。

上司乐意听的话是“那家店很好吃！”

请使用“顶点法”，用一句话表达好吃的程度。

在日常生活中，这种情况就可以直接使用“顶点法”。

请大家思考一下。

好，开始！

下面开始发言。有请小野。

小野：“是。我觉得像⑧这样说，能让上司感到高兴。”

⑧

那是我有生以来吃过的最好吃的东西！

顶点法

这样说看来是真的很好吃啊！

看起来就像是最年轻的奥运会金牌获得者之一岩崎恭子选手的名言。

不过，尽管这样说能表达自己的谢意，但毕竟只是一顿“烤鸡肉串”，似乎有些太夸张了。

像下面这样说怎么样？

我是**像⑨这样**写的。

⑨

那是我今年去过的最好吃的店！

顶点法

小野：“啊——这个看起来是发自内心的。”（笑）

如果还觉得夸张，可以把时间段逐渐缩短，比如“那是我最近去过的最好吃的店！”

没必要说谎。

小野：“那是我今天去过的最好吃的店！这个怎么样？”

这样说的话，可能去过的店有点儿少（笑）。

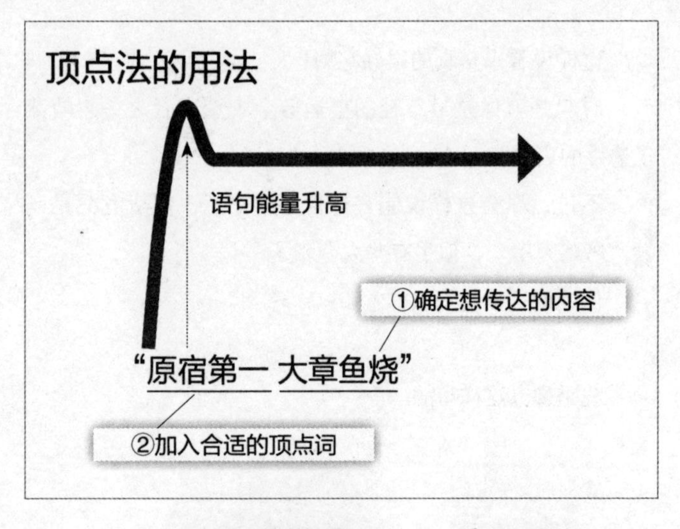

还有谁想发言？好，坪谷。

坪谷：“是。我打算不使用“最”这个词，所以是像⑩这样写的。”

⑩

真是烤鸡肉串的王者！

顶点法

原来如此。

很厉害。

弄得我也想去尝尝了。

“王者”这个词很好用，虽然没直接说“最好”，但意思就是那样。很好。

还可以让上下文更容易理解些，比**如像⑪这样**。

⑪

对我来说，那家店是烤鸡肉串的王者！

顶点法

坪谷：“原来如此。确实。我下次就这么对上司说。”

上司肯定会高兴的。

平时经常练习创造警句，等到制作企划书或临时演讲的关键场合，就能派上用场了。

不妨怀着玩游戏的轻松心态，有意识地加以运用。

我是像下面这样写的。

请看⑫。

⑫

按照我的米其林标准，会给那家店打三星。

顶点法

会场：“噢——！”

我在寻找“好吃”的顶点词时，想到了米其林指南，于是就这样写了。

当然，那家店在真正的米其林指南上并不是三星，所以我使用了“我的米其林标准”。

下面说说要点。

使用顶点词，能给人以冲击力，吸引对方的注意力。

寻找顶点词的过程非常有趣，请大家慢慢体会。

想必大家已经注意到了，世上的很多命名都使用了顶点法。

例如“拉王”“CoCo壹番屋”“王的早午餐”“最佳电器”“世界的渡边钟”等等。光是在商品名这个范围内，就有如此之多倍受关注的名称出自顶点法，可见使用顶点法真的能引发热潮。

而且，你也能轻松使用，关键就看你知不知道。

使用顶点词，
能给人以冲击力，吸引对方的注意力。

结 语

打开紧闭的人生之门

读到这一页的你，“措辞水平”已经相当高了，比你自己想象的还要高。现在的你，无论是与人交谈还是发短信，都能使用以前想不到的措辞。

从做菜的角度来说，你已经处于了解菜谱并在学校经历了多次反复实习的状态。

接下来是最后一步。立刻，请立刻在实际生活中运用。

有部电影我很喜欢，是由罗素·克劳主演的《铁拳男人》。该影片根据真实事件改编，讲述了一个因右手受伤而跌入谷底的拳击手的故事。出于无奈，他只能用左手搬运重物。后来有一天，他参加了一场意想不到的比赛……站在拳击台上的他竟然变得如此之强，连他自己都感到震惊。通过搬运重物，左手得到锻炼，使他能接连打出以前做不到的左勾拳。

来吧，你也要接连出拳。

没关系的。现在的你已经练出一身“措辞肌肉”。我自从掌握“措辞菜谱”以后，人生发生了天翻地覆的变化。这次轮到你来体验一番了。

好不容易练出的肌肉，不用就会衰退。要在每天的生活中经常使用——这是保持肌肉不衰退，开拓人生的笔直大道。

告别的时刻就要到了。

但是没关系。你已经掌握了措辞的技巧。

所以放心吧，果断地打开你此前一直紧闭的人生之门吧。

用你翻开这一页的手。

佐佐木圭一

参考文献 / 参考影像

《新工作法》本田直之（钻石社）

《电视之泪完全版》铃木收（朝日文库）

《藤田晋的工作学》藤田晋（日经商务人文库）

《犹太人大富翁的教导——成为幸福富翁的 17 个秘诀》本田健（大和文库）

《去冒险吧》安藤美冬（Discover 21）

《全学年倒数第一的差生用一年时间把偏差值提高 40 后应届考入庆应大学的故事》坪田信贵（KADOKAWA/ASC Ⅱ Media Works）

《热情的措辞》福冈元启（双叶社）

《何谓创立自己的公司》经泽香保子（钻石社）

《做个淘气包！》须田将启、田中祯人（Discover 21）

《半径 5 米的野心》伊藤春香（讲谈社）

《青春箱》村上纯（双叶社）

《传达到了吗？》小西利行（宣传会议）

《借此讲讲广告文案的真话》小霜和也（宣传会议）

《广告文案年鉴》东京广告文案撰稿人俱乐部（宣传会议）

《让人注意到小幸福的 33 个故事和 90 句名言》西泽泰生（神吉出版）

《斯卡利——撼动世界的经营哲学（上）》约翰·斯卡利、

约翰·A·伯恩（早川书房）

《成为优秀的工作人！》汤姆·彼得斯（CCC Media House）

《热烈的话语》杉村太郎（中经文库）

特别鸣谢

渥美祐里香、阿部太一、安藤辉彦、井藤融、岩田松雄、有贺史英、五十岚久美子、池田瑠璃子、石冈沙保、石川喜裕、猪熊真理子、今尾礼子、浦前忠彦、远藤努、大村椿、大和田宇一、冈秀树、奥村彰浩、垣花正、梶贤太、川崎美穗、姜尚中、北风胜、北川哲、北村贤治、橘田昭、木村比吕子、葛野泰子、栗山明奈、小林正晴、小林麻耶、今田佐和子、齐藤洋美、坂井良美、佐古庆介、佐佐木惠美、佐佐木来来、佐藤纯子、佐藤统二郎、佐藤浩辉、品田守也、Sean K、John Wood、白石坚太郎、白木夏子、杉村贵子、住吉美纪、高桥伊津美、高桥一晃、高桥朋宏、高村惠里菜、高山武佐士、泷泽真一郎、竹下美佐、立花岳志、伊达仁、谷口洋辅、田村有树子、为末大、土屋美佐子、寺尾安博、仲晓子、中井信之、中西哲生、那珂通雅、中村俊裕、永吉宏充、生田目拓、西浦景子、西川雅志、西泽泰生、Nonie Kaban、桥谷能理子、长谷川美沙江、长谷川洋子、花泽太朗、林修、林田纯治、原田大辅、常陆佐矢佳、比铺兴人、平冢一惠、藤村真贵奈、古田敦也、堀内希、松丸佳穗、松山奖、水谷正纮、宫腰菜苗、宗形英作、村田泰介、森川亮、安原马利克勇人、山口一美、山下亚纯、山下伸儿、山本幸裕、吉田正树、吉野永里子、吉野幸子、米仓佐世子、良知高行、和田史子、和田裕美、渡边资、渡边美树（按日文原名五十音顺排序。敬称略）

本书由钻石社的土江英明、饭沼一洋负责编辑。托老师杉村太郎和众多人士的关照，本书才能完成。谢谢。

最后要向大家汇报。

在前作《别让成功卡在说话上》之中约定的，用于提高识字率的“字母表”，我已经代表各位读者送给需要的孩子们了。

我把“字母表”逐一递给孩子们，孩子们纷纷跟我握手。握着他们温暖的小手，我感到胸口一紧，不知为何就掉下泪来。我就是用跟孩子们握过手的这只手，写完了这本书。

我想把那份温暖，归还到托着这本书的您的手上。

孩子们识了字，将来就有机会找到工作。来自各位的赠语，此刻正贴在学校和孩子们的家里，静静地注视着他们的未来。

我决定用《所谓情商高，就是会说话》的部分版税，在低识字率地区的学校建立图书室，这样每年都能培养出很多识字的孩子。购买本书的您，也是为孩子们的图书室添砖加瓦的人。